いちばんわかりやすい！

柔道の教科書

木村昌彦・斉藤仁・篠原信一・田中力・
鈴木桂治・谷本歩実　著

つちや書店

はじめに

「わかる！できる！使える！」

実際《じっさい》に技《わざ》の感覚《かんかく》がつかめる具体的《ぐたいてき》なレッスンを重視《じゅうし》！

　これまで多くの柔道関連《かんれん》の書籍《しょせき》がつくられてきました。しかし、それらを読んで実際にやってみると、「難《むずか》しくてできない！」ということも多かったのではないでしょうか？　柔道は、相手がいてこそ成り立つスポーツですので、理論通りに技が掛《か》けられないことも多々あります。

　本書では、こうした問題をクリアするため、柔道の技術に必要な「実際の感覚」を身につけられるよう、簡単な動作で技の感覚を体感し、実際の技につなげていく段階的なレッスン形式で解説しています。また、写真ではわかりづらい技術も、付属《ふぞく》のＤＶＤ映像とあわせて見ると、より具体的なイメージもつかみやすくなる構成となっています。さらに、初心者が理解しやすいよう、本来、左組みの講師もすべて基本である右組みで説明を行っています。

　平成24年度より、中学校の必修科目に武道が加わり、柔道に触《ふ》れる機会も増えてきています。本書は、初心者でも安心して柔道を楽しめるよう、安全性という面にも注目しています。ひとりでも多くの方が、柔道の魅力を体験していただければ幸いです。

本とあわせて活用しよう!

付属DVDの使い方

DVDマークがついているページは映像解説も収録！

一流の柔道家が実演解説!
基本をしっかり学べる130分

本書に付属されているDVDには、本の中で解説されている内容とリンクする形で、映像による技術解説が収録されています。本の右上にDVDマークが記載されているページは、それと連動した映像解説がDVDに収録されていることを表しています。本と映像をあわせて活用することで、技術の理解度も深まります。また、一流の柔道家たちが実演解説する形式なので、柔道の基本をしっかりと学ぶことができます。

本とDVD
両方でチェック!

該当ページ数を表示

メインメニューから見たいテーマを選べる!

DVDを再生すると、大迫力のオープニング映像が自動再生され、その後メインメニューが画面に表示されます。「1時間目」から「7時間目」の章タイトルそれぞれを選択すると、各章のサブメニューへと移行し、「PLAY ALL」を選択すると、全項目が順番に自動再生されます。

サブメニューへリンク!

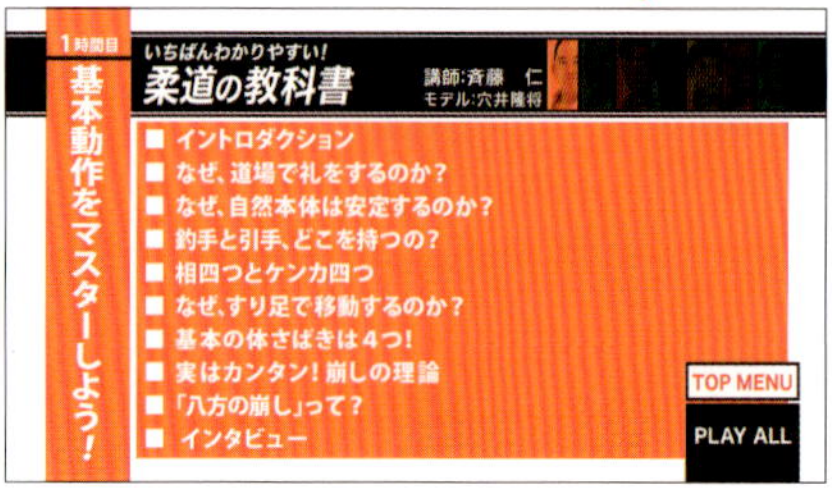

見たい技術を直接選択 貴重なインタビューも必見!

各章のサブメニュー画面には、その章で解説されている技術項目が表示されます。見たい項目をダイレクトに選択することができ、また、「PLAY ALL」を選択してその章だけを自動再生することもできます。各章の最後には、講師を務めた柔道家のスペシャル・インタビューも収録されています。

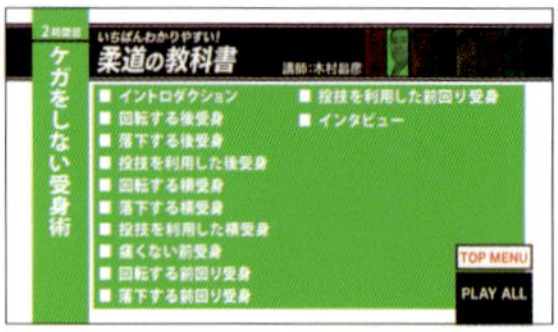

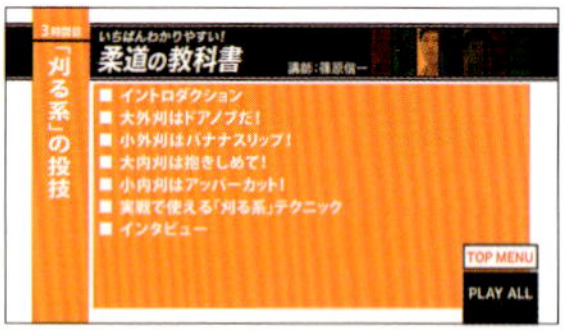

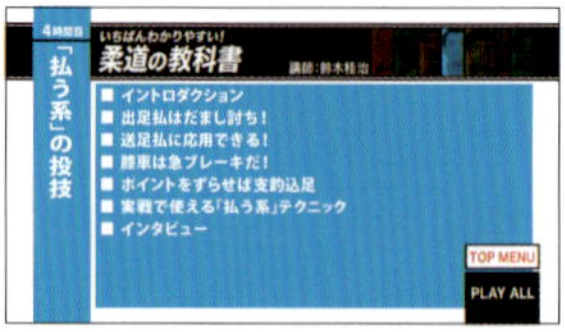

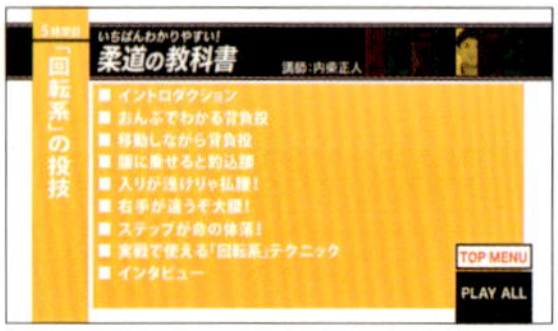

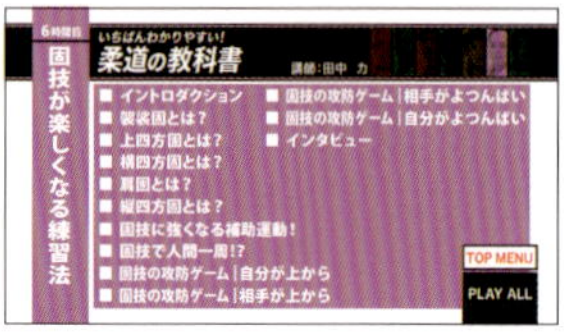

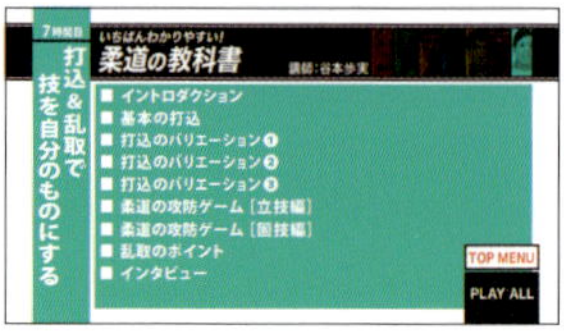

■使用上のご注意
○ご使用になる際は、DVDビデオ対応プレーヤーで再生してください。一部のプレーヤーでは動作しない場合がありますので、その際はメーカーまでお問い合わせください。

■取扱上のご注意
○ディスクは両面とも、指紋、汚れ、傷などをつけないように取り扱ってください。また、ディスクに大きな負担がかかると、データの読み取りに支障をきたす場合もありますのでご注意ください。
○ディスクが汚れたときは、メガネ拭きのようなやわらかい布を軽く水で湿らせ、内側から外側に向かって軽く拭き取ってください。レコード用クリーナーや溶剤などは使用しないでください。
○ディスクは両面とも、鉛筆、ボールペン、油性ペンなどで文字や絵を書いたり、シールなどを貼り付けないでください。
○ひび割れや変形、または接着剤で補修されたディスクは危険ですから、絶対に使用しないでください。また、静電気防止剤やスプレーなどの使用は、ひび割れの原因となることがあります。

■保管上の注意
○使用後は必ずプレーヤーから取り出し、専用ケースなどに収めて保管してください。
○直射日光の当たる場所や、高温、多湿の場所には保管しないでください。

■健康上の注意
○部屋を明るくし、画面より離れてご覧ください。
○長時間続けてのご視聴を避け、適度に休憩をとってください。

■お断り
○このディスクは、家庭内での私的鑑賞にのみご使用ください。本DVDおよびパッケージは著作権上の保護を受けております。ディスクに収録されているものの一部でも、権利者に無断で複製・改変・転売・放送・インターネットによる配信・上映・レンタル（有償、無償問わず）することは法律で固く禁じられています。

DVD映像解説の特色

1. 一流の柔道家がレクチャー

映像解説は、講師を務める柔道家が実演しながら解説するレクチャー形式で構成しています。まるで、一流の柔道家たちから直接指導を受けているような感覚で、モチベーションもアップ！

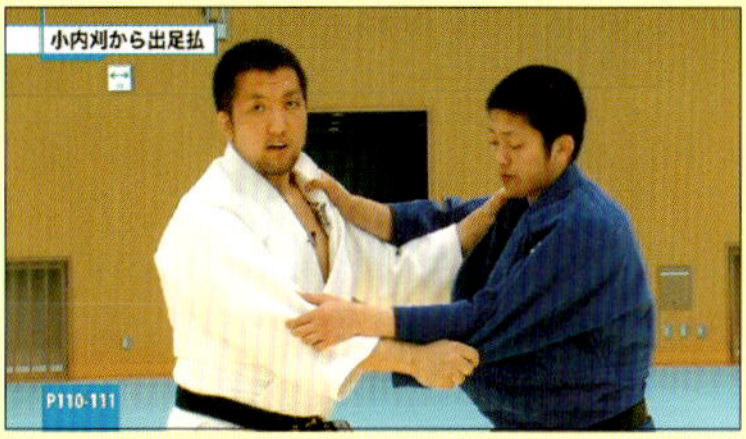

2. ポイントがわかりやすい！

とくに重要なポイントは、テロップなどを使用し、わかりやすく強調しています。また、スローモーションや多角的なアングルで、わかりにくい技術もイメージがつかみやすくなっています。

●書籍制作
企画・編集：千葉慶博（株式会社ケイ・ライターズクラブ）
編集協力：竹沢大樹、清藤和宏（株式会社ケイ・ライターズクラブ）
撮影：蔦野裕
デザイン・DTP：株式会社明昌堂

●DVD制作
ナレーション：佐藤政道
映像制作：丸茂哲夫、栗田貴、和田康（株式会社 ZON）
ＭＡ：小菅康夫（クロスコ株式会社）
編集：高根沢征二（クロスコ株式会社）
撮影：松原学、久保知子、市川哲志（株式会社文化工房）
オーサリング：株式会社トライアングル

●モデル協力
田熊豊、風間孝幸、稲吉久徳、西村健大（国士舘大学）
宮下寿子、江良美咲（九州看護福祉大学）

いちばんわかりやすい！

柔道の教科書

目次 Contents

3時間目 〝刈《か》る系《けい》〟の投技《なげわざ》 P67

4時間目 〝払《はら》う系《けい》〟の投技《なげわざ》 P93

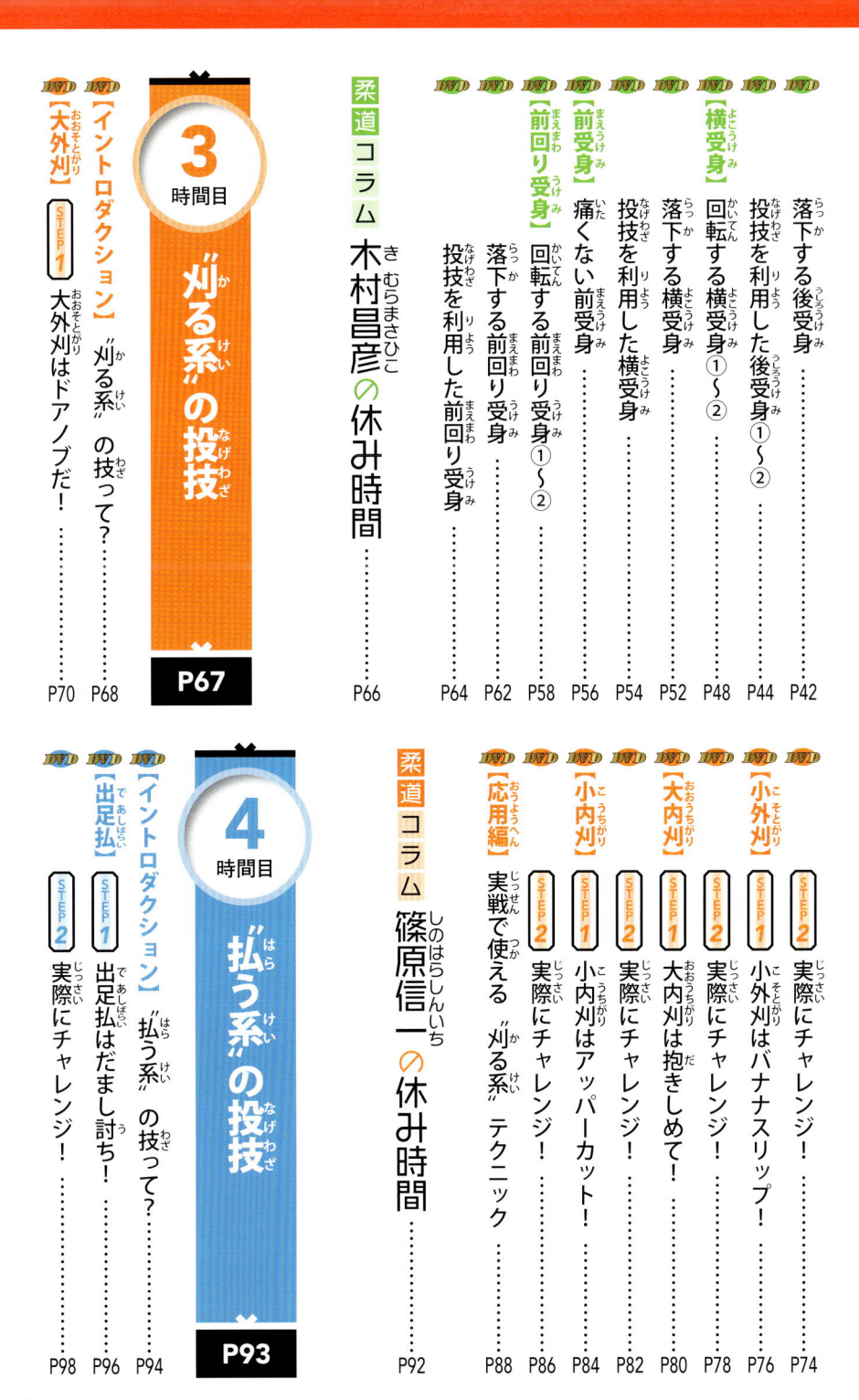

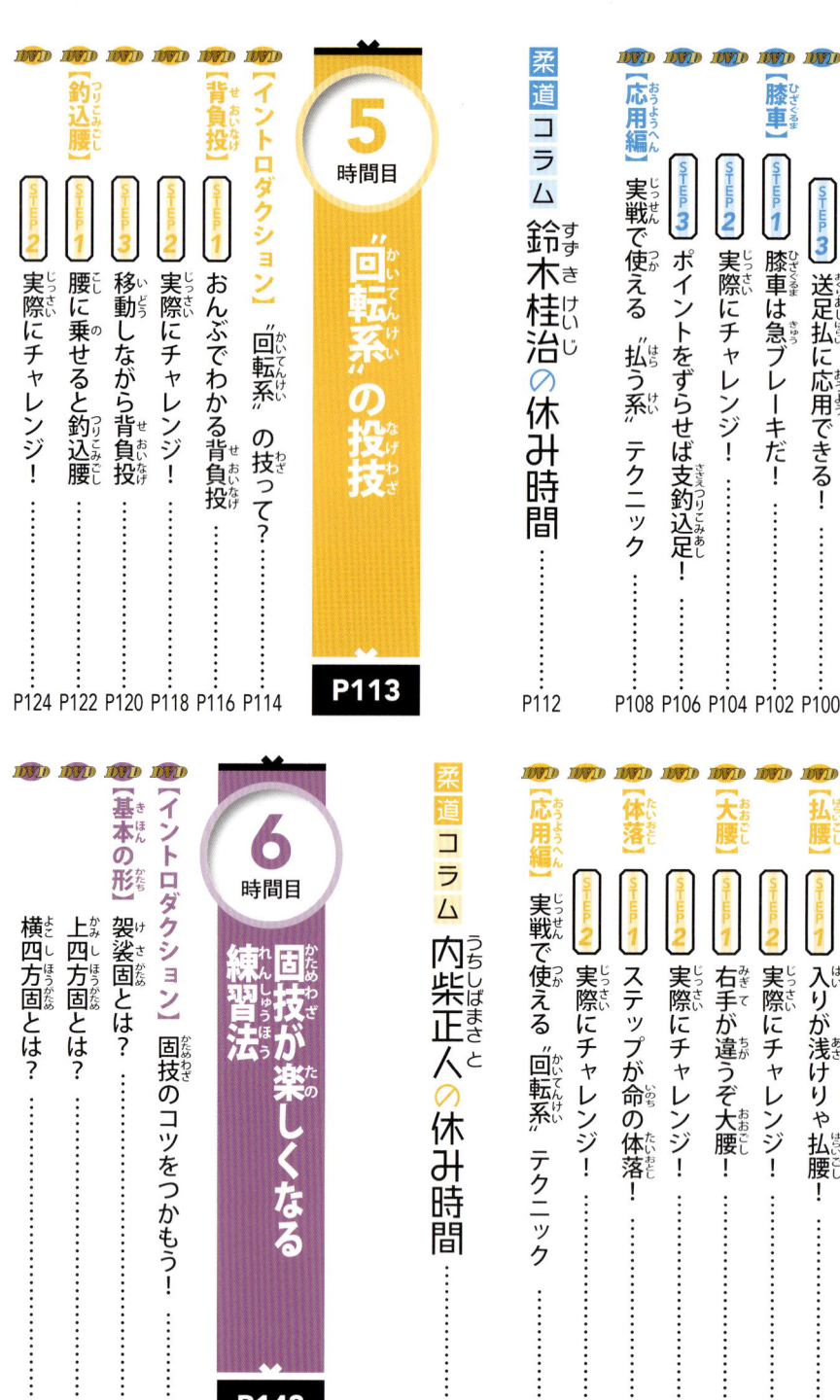

Contents

※本書では、技を受ける側（受け）のモデルが青柔道衣を着用し、技術解説のわかりやすさを優先しています。構成上の都合により、青柔道衣着用時の帯の白線など一部規定と異なる部分がありますが、予めご了承ください。

柔道オールスター Special Interview

柔道ってこんなにスゴイ!

1時間目
講師

斉藤仁

Hitoshi Saito

「"精力善用《せいりょくぜんよう》" "自他共栄《じたきょうえい》" という言葉があります。これは、柔道の稽古《けいこ》を通じて、自分自身を成長させ、身体的に強くなるだけでなく心の部分で人を労《いた》わる優しさを身につけよう、それを世の中に還元《かんげん》して共に助け合っていこうという柔道の目的を表しています。やはり、強さだけでなく、感謝の心であったり優しさであったり、人としての道を極《きわ》めていくことが、柔道ではとても大切なことなんです。稽古は厳《きび》しいものです。しかし、そのつらいときに仲間と共に励《はげ》まし合い、また、チームの目標を達成したときには共に喜びを分かち合ったりと、いろいろな経験が自分自身を成長させてくれます。それらの経験は自分の宝物になるんです。私自身も少年時代に実感したことですが、稽古はウソをつかない。努力した分だけ、必ず結果がついてくるということも柔道の面白さのひとつであると思います」

Profile（さいとう ひとし）

1961年１月２日、青森県生まれ。1984年ロス五輪、1988年ソウル五輪で２大会連続の金メダル獲得。2004年アテネ五輪、2008年北京五輪で全日本男子監督を務める。現・国士舘大学体育学部教授、同学・男子柔道部副部長。全日本柔道連盟強化副委員長。

1時間目
モデル

穴井隆将

Takamasa Anai

「私は警察官の父が柔道をしている姿に憧《あこが》れて5才のときに始めました。柔道は、勝つことや強くなることも大切ですが、やはり礼節《れいせつ》を重んじる競技であること、柔道を通じた仲間との交流などが自分にとって大きな財産になったと感じています。そして、柔道の魅力は何と言っても一本を取ること。自信を持って掛《か》けた技がきれいに決まったときは本当に気持ちがいいですし、その裏には何千、何万回と稽古に打ち込んだ背景があるわけですから、それが結果として実を結んだときの喜びはすごく大きいものなんです。柔道は、受身や基本の打込《うちこみ》など華《はな》やかではないところからスタートするのですが、しっかりと段階を踏《ふ》んで学んでいけば、必ず柔道の本当の楽しさを味わうことができます。投げたり投げられたりという柔道の面白さを感じられるまで、粘《ねば》り強く稽古を続けて頑張ってほしいと思います」

Profile（あない たかまさ）

1984年８月５日、大分県生まれ。天理大学職員。2009年に全日本柔道選手権大会を初制覇し、翌2010年に東京で開催された世界柔道選手権大会でも優勝。2012年のロンドン五輪において日本柔道のエースとして期待される。

2時間目
講師

木村昌彦

Masahiko Kimura

「私が本格的に柔道を始めたのは、高校生の頃です。それまでは野球をやっていたのですが、ミスをしてドンマイっていうのが嫌いで（笑）。なぜミスをしたのか？ということを自分で分析したり、自立心を養ったり、自己を形成していくのに最適な競技だと思って始めました。柔道の魅力は、体型や筋力に関係なく、自分に合ったスタイルでできることです。もちろん基本は大切ですが、しっかり基本を身につけた上で、自分にしかできない柔道を見つけることも柔道の面白さだと思います。また、最近では、国際化という言葉がキーワードになっていますが、日本独自の文化を知るということが、国際化につながっていくと思うんです。中学校の武道必修化によって、柔道に触れる機会も増えると思いますが、柔道という伝統的な運動文化を理解し、魅力や面白さというものをぜひ体感してほしいですね」

Profile（きむら まさひこ）

1958年８月26日、山形県生まれ。横浜国立大学教育人間科学部教授。現在、全日本柔道連盟国際強化マネジメントコーチ、広報委員会副委員長、安全対策プロジェクト委員などを務める。2005年＆2010年に文部科学省スポーツ功労者顕彰を受賞。

3時間目
講師

篠原信一

Shinichi Shinohara

「私が柔道を始めたのは、中学校に入学したときに、ちょうど柔道部ができまして、体が大きかったこともあって顧問《こもん》の先生に誘われたことがきっかけです。そんな感じで始めたものですから、中学・高校時代は柔道に対して楽しいとか、強くなりたいといった気持ちを抱くこともなかったんです（笑）。ところが、大学に入ってから、柔道でチャンピオンになるという目標を持つようになりました。それまでは、怒られながら稽古に参加していたのが、目標を持つことによって自分から積極的に稽古に励《はげ》むようになりました。そうなると、試合に勝つようになって、本当の意味で柔道の楽しさや苦しさがわかるようになったんです。そこから現在に至《いた》るっていう感じですね（笑）。柔道のよいところは礼儀作法が身につくこと。挨拶《あいさつ》はコミュニケーションの基本ですから、まずはそこから始めてほしいですね」

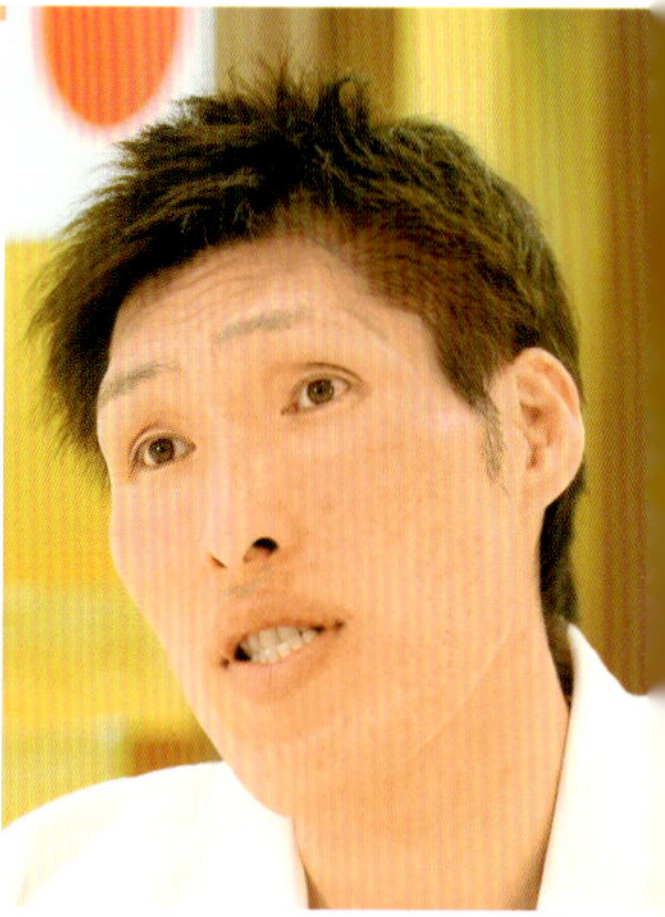

Profile（しのはら しんいち）

1973年１月23日、青森県生まれ。天理大学体育学部准教授、同学・柔道部男子監督。1998年～2000年の全日本柔道選手権大会で３連覇。2000年シドニー五輪で銀メダルを獲得。2012年ロンドン五輪の全日本柔道男子監督を務めるなど、トップクラスの指導者として活躍している。

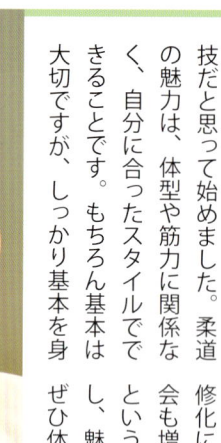

4時間目
講師

鈴木桂治

Keiji Suzuki

「柔道の魅力は、もちろん相手を投げ飛ばすことは気持ちいいですし、苦しい稽古を重ねた分だけ勝ったときの喜びはすごく大きいです。そして、僕の場合は、友だちが増えたというのもあります。柔道家やそれ以外の友人たち、よい先輩や後輩、先生方をはじめ、柔道を通じて多くの人と出会えることができました。こうした仲間との出会いは、僕にとってかけがえのないものです。勝ったときには、それこそ友だちでもない人まで寄ってくるものですが、負けたときに励ましてくれたり、〝もっと練習しろよ〟と叱《しか》ってくれる人が本当の友だちだと思うんです。そういう仲間たちは、柔道をやっていなければ得られなかったと思います。また、柔道は勝つことも大切ですが、それ以上に礼義や言葉遣《づか》いといった人としての基本を身につけることが大事で、それこそがまさに柔道の魅力だと思っています」

Profile（すずき けいじ）

1980年６月３日、茨城県生まれ。国士舘大学体育学部専任講師、同学・柔道部男子コーチ。2004年アテネ五輪で金メダルを獲得したほか、全日本柔道選手権大会優勝４回、世界柔道選手権大会優勝２回を誇る。日本を代表する柔道家として活躍中。

5時間目
講師

内柴正人

Masato Uchishiba

「僕は小学校3年生のときに柔道を始めたんですが、子どもの頃は本当に勝てなくて、真剣にやめようと悩んでいた時期もありました。試合では勝てない、チームでも一番になれない、試合で負けると怒られる。いいことがあまりなかったんですが、頑張っていることを先生にほめられたくて、人よりもたくさん稽古だけはしていました。それで地力《ちりき》がついたのかもしれませんが、中学校に入ってから、少しずつ勝てるようになったんです。これだけやれば勝てるんだから、もっと頑張ればもっと勝てると思うようになりました。努力した分、結果が実ることが本当に面白いと感じるようになったんです。ですから、今も勝てなかったり、体が小さかったり、嫌々《いやいや》稽古している人もいると思いますが、5年後や10年後の自分を想像しながら、必ず結果が出せる日が来ると信じて柔道を続けてほしいと思います」

Profile（うちしば まさと）

1978年６月17日、熊本県生まれ。九州看護福祉大学客員教授、同学・柔道部女子コーチ。2004年アテネ五輪、2008年北京五輪で連覇を達成したほか、2005年の世界柔道選手権大会で銀メダルを獲得。2010年に現役引退を表明し、後進の指導に当たる。

6時間目
講師

田中力

Chikara Tanaka

Profile（たなか ちから）

1975年８月１日、佐賀県生まれ。1998年に国士舘大学体育学部を卒業後、同学・男子柔道部のコーチを務める。また、2011年に横浜国立大学大学院を卒業し、現在は国士舘大学女子柔道部監督代行として、後進の指導に当たっている。

「私は小学校3年生まで、水泳、テニス、相撲などいろいろなスポーツに取り組んでいたのですが、４年生になって、兄もやっていたこともあって柔道を始めました。柔道を続けてきてよかったと感じるのは、何事にもひたむきに頑張ろうとする気持を養うことができたことですね。柔道は毎日の稽古の積み重ねです。技を追求し、その技を成《な》し遂《と》げたときの達成感は、柔道でしか味わうことができないと思います。私は現在、国士舘大学で指導しているのですが、多くの強豪《きょうごう》選手を見ていて感じるのは、彼らは皆、自己分析能力に長《た》けているという共通点があることです。自分の足りない部分を自覚し、課題を見つけ、長期・中期・短期という目標を設定します。長期目標の到達《とうたつ》点を目指し、中・短期的な目標に沿って毎日の課題をクリアしていくのです。強くなるにはこの目標設定が大事なんです」

7時間目
講師

谷本歩実

Ayumi Tanimoto

「私は運動神経がよくて体格もいい、柔道がよく似合う女の子だったので、父に勧《すす》められて小学校３年生のときに始めました。当時は女の子が1学年にひとりいればいいほうで、いつも男の子と一緒に稽古をしていました。それから20年ほど柔道を続けてきたのですが、やはり柔道の教えは何か？ということを考えながら稽古に取り組むことが大切だと実感しています。柔道の創始者である嘉納治五郎《かのうじごろう》先生は、人としてどう成長するかという人間の生き方についての考えや、思いを柔道に込めてつくられました。武道というものにはすべて、勝利主義ではなく、そうした思いが込められていて、そこが他の競技と違うところであり、素晴らしさであると私は思います。ですから、これから柔道を学ぼうとしている方には、初めに柔道の意義というものを理解していただき、そこから始めてほしいと思います」

Profile（たにもと あゆみ）

1981年8月4日、愛知県生まれ。現・コマツ柔道部コーチ。2004年アテネ五輪と、2008年北京五輪において２大会連続オール一本勝ちでの優勝という前人未到の偉業を達成。2010年に現役を引退し、現在はコーチとして後進の育成を図る。

1
時間目

基《き》本《ほん》動《どう》作《さ》を マスターしよう！

しっかり
覚えよう！

モデル
穴井隆将
選手

講師
斉藤仁
先生

着装《ちゃくそう》
柔《じゅう》道《どう》衣《ぎ》を着《き》てみよう!

Lesson
ここが大切!

まずは正《ただ》しい方法《ほうほう》で柔道衣《じゅうどうぎ》を着《き》てみよう

柔道衣は、下《した》ばき、上衣《うわぎ》、帯《おび》の3つを順番に着装していきます。まず、下ばきをひも通しがついているほうを前にしてはき、次に上衣は左襟《えり》を前にして袖《そで》を通します。左襟を前にするのは男女共通です。右襟を前にして着るのは亡《な》くなった人だけ。これは、東洋に古くから伝わる右と左を陰《いん》と陽《よう》とする風習（陰陽論《いんようろん》）が現在まで残っているからです。最後に、帯はほどけないようにしっかりと結びます。

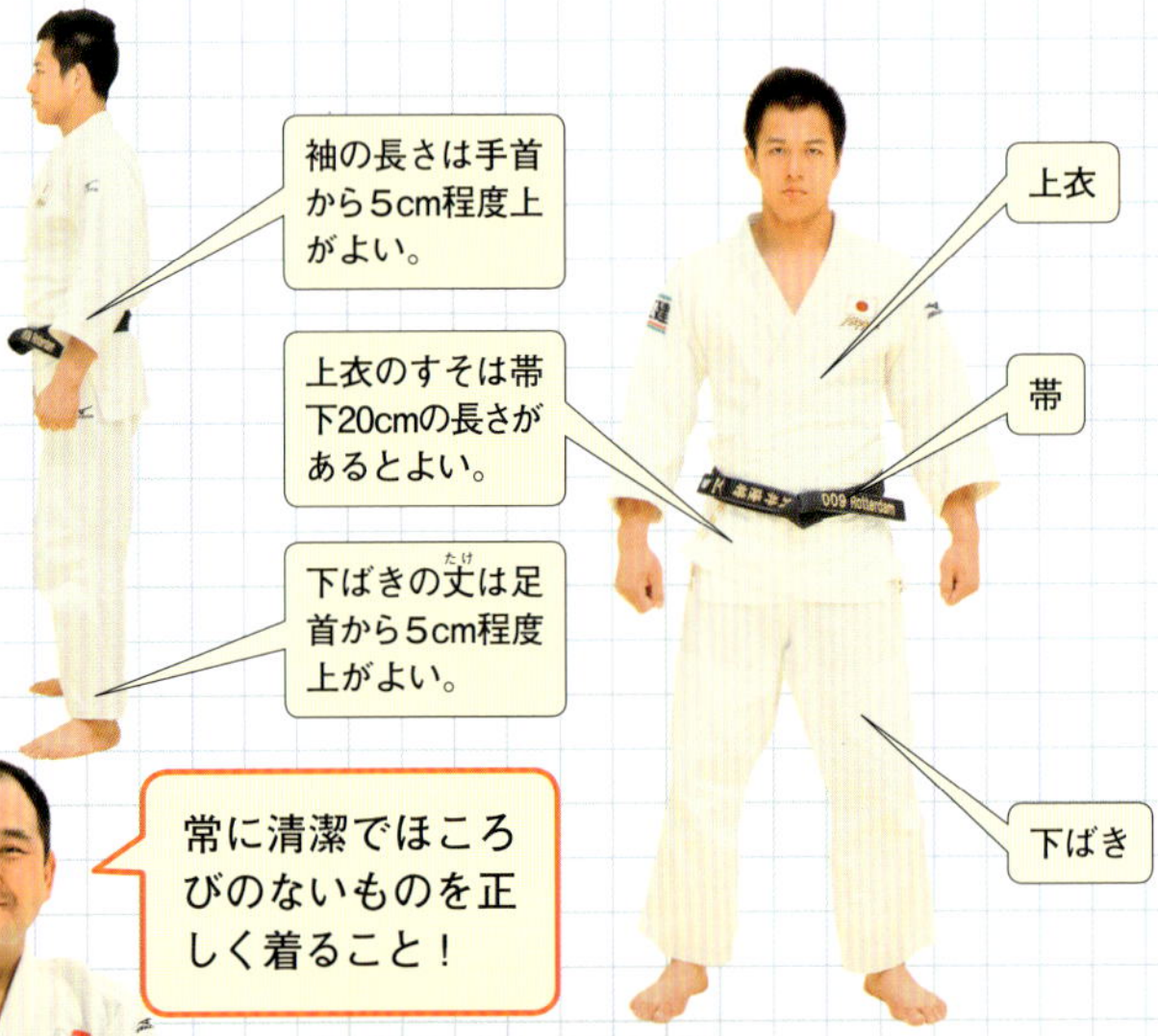
袖の長さは手首から5cm程度上がよい。
上衣のすそは帯下20cmの長さがあるとよい。
下ばきの丈《たけ》は足首から5cm程度上がよい。
上衣
帯
下ばき

常に清潔でほころびのないものを正しく着ること!

柔道衣の着方

1 下ばきはひも通しがついているほうを前にしてはき、ひもを結ぶ。

2 上衣に袖を通し、右の襟が下になるよう腰に当てる。

3 左の襟が上になるように合わせる。次は帯のしめ方へ。

柔道衣のたたみ方

1

上衣と下ばきを整えて、写真のように重ねる。

2
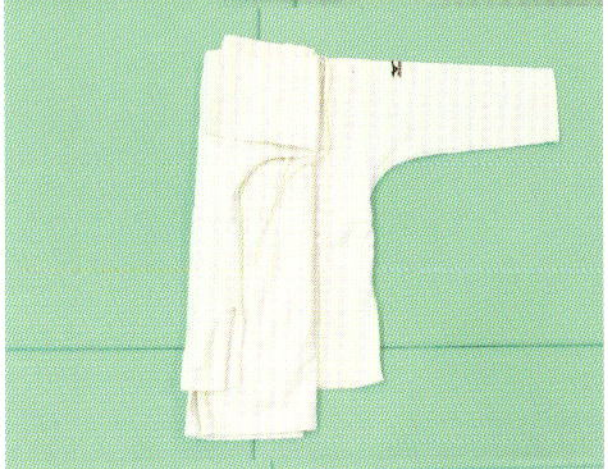
▼右側を襟の際《きわ》に合わせて、袖の中間を折る。

3
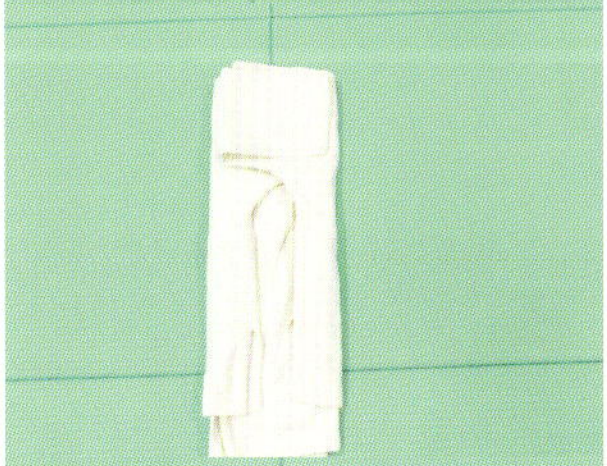
▼左側も同様にして、袖の中間を折る。

4

▼裾《すそ》のほうを3分の1くらいを目安に折る。

5

▼裾《すそ》の折目にそろえるように襟側を折りたたむ。

6

▼お好みで帯を巻きつけるなどして完成。

帯は真ん中でふたつ折にして準備しておく！

帯のしめ方

1

帯の真ん中をお腹に当て、1周させる。

2

▼左側の先端を上にして交差させる。

3

▼上にした先端を、巻きつけた帯の下から通す。

4

▼帯の両端を持って、ひと結びにする。

5

▼帯の両端を持って、斜《なな》め下に引きしぼって完成。

礼法《れいほう》

なぜ、道場《どうじょう》で礼《れい》をするのか？

正しい礼法をしっかり身につけておこう！

立礼《りつれい》
両手は上体の動きに合わせて太ももの前に。

座礼《ざれい》
両手はハの字をつくるようにして畳につく。

正面

道場の正面では柔道の創始者《そうししゃ》、嘉納《かのう》治五郎師範《じごろうしはん》が見守っている。

Lesson
ここが大切!

武道《ぶどう》らしさが残《のこ》る柔道《じゅうどう》の礼法《れいほう》とは？

柔道を始めるには、必ず礼法を身につけなくてはなりません。直立姿勢で礼をする立《りつ》礼《れい》、正座の姿勢で行う座《ざ》礼《れい》、そして立ち方、座り方にも作法があります。柔道はひとりで修業できません。相手があって初めて成り立つ競技ですから、稽古《けいこ》相手に感謝しながら礼を尽くすことが大切なのです。また武道は本来、人の生死に関係するもので、仏教との結びつきが強いこともあります。道場は、もともと僧《そう》侶《りょ》が悟《さと》りを開く場のことをいい、神聖《しんせい》な場所とされていました。そのため、柔道でも道場に入ったら、必ず礼をするのです。さらに門下生を見守る嘉納《かのう》師範《しはん》への敬意《けいい》を込め、道場の正面にも礼をします。

座り方

1 両かかとをそろえた気をつけの姿勢。視線は正面に向ける。

2 左足を下げ、左ひざから畳につける。上体の姿勢は崩《くず》さない。

3 次に右ひざを畳につける。このとき、つま先は立てたまま。

4 両つま先を寝かせ、足の親指を重ねるようにする。

5 そろえた両足の上に腰をゆっくり落とす。両手は太ももの上。

CLOSE UP!

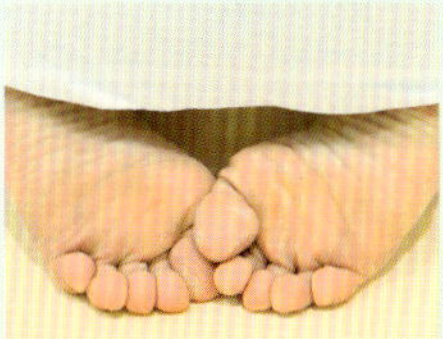

正座したときは、上の写真のように両足の親指を重ねること！

立ち方

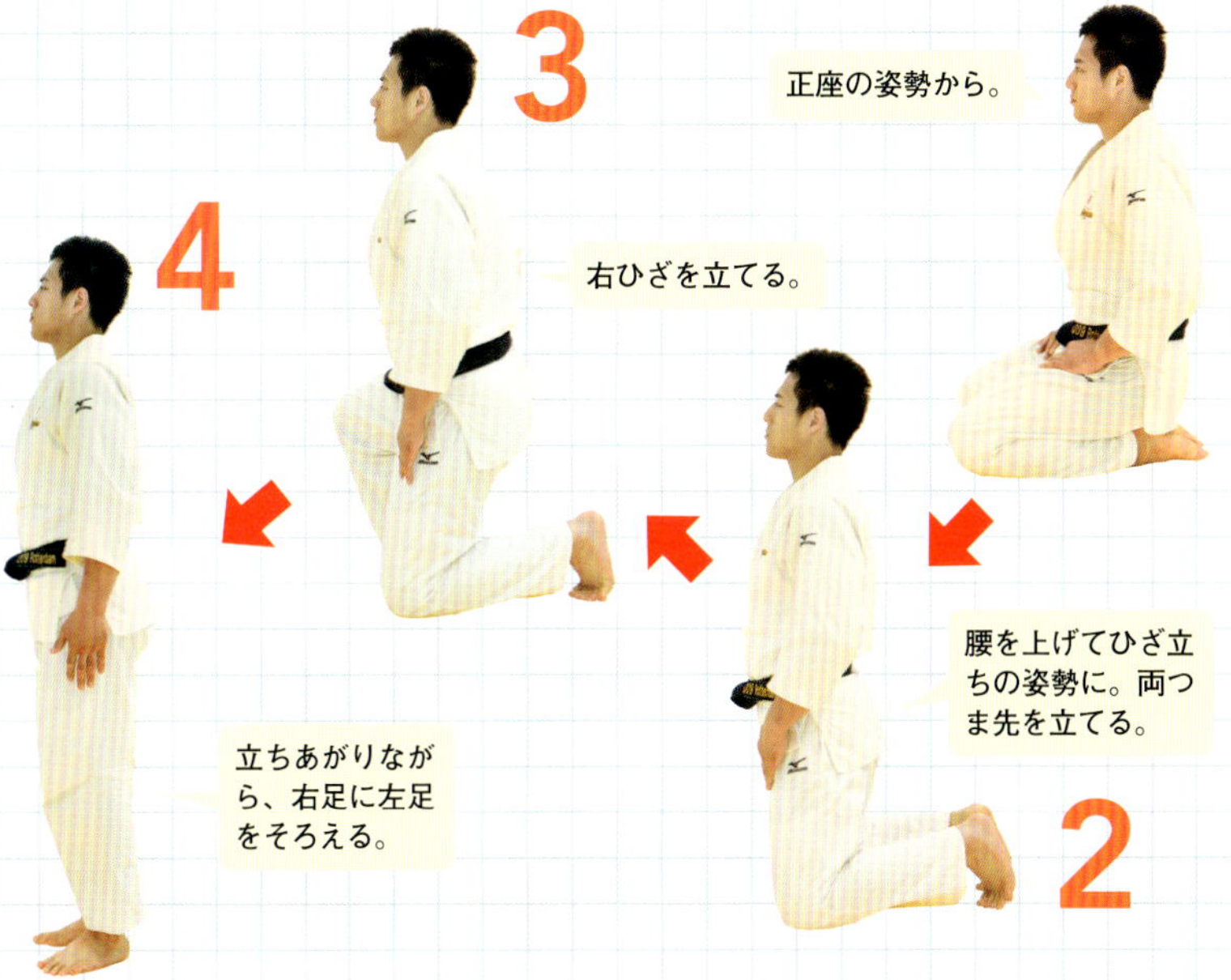

1 正座の姿勢から。

2 腰を上げてひざ立ちの姿勢に。両つま先を立てる。

3 右ひざを立てる。

4 立ちあがりながら、右足に左足をそろえる。

なぜ、自然本体《しぜんほんたい》は安定《あんてい》するのか？

Lesson ここが大切!

柔道《じゅうどう》の基本姿勢《きほんしせい》 自然体《しぜんたい》とは？

武道では相手と向かい合ったとき、〝体構え《たいがまえ》〟と〝目付《めつけ》〟が重要。体構えとは姿勢のこと、そして目付とは相手のどこを見るのか？ ということです。最適とされる目付は、ある一点ではなく相手の体全体に視線を向けます。これにより相手の様々な動きを素早く察知《さっち》できます。また、直立姿勢は〝自然体〟と呼ばれる、肩幅に足を開いた形が最も安定し、かつ攻防に適《てき》しているとされています。

直立姿勢

両かかとをつける直立姿勢は、基底面積《きていめんせき》（両足で囲まれた面積）が小さく、安定を維持《いじ》するには難《むず》しい。

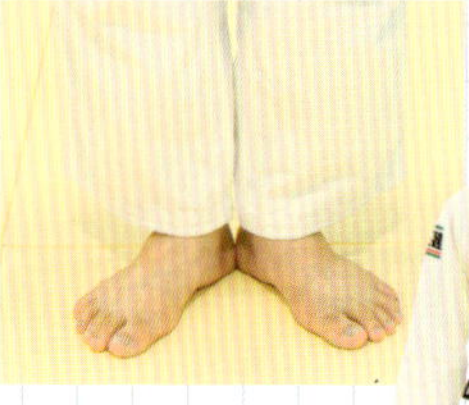

直立姿勢（気をつけ）

これがベスト

自然本体

自然本体

両足を肩幅に開く自然本体は、自然な形で立つことができる。安定的で瞬時《しゅんじ》の動作も対応しやすい。

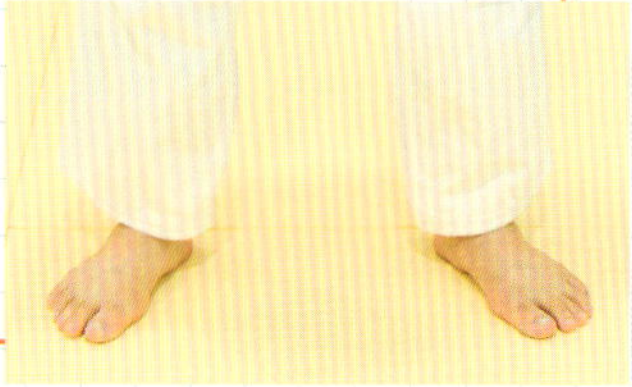

自護本体《じごほんたい》

両足を開き、腰を落とす自護本体は、基底面積が大きいので安定はするが、筋肉の緊張により長時間は難しい。

自護本体

※自然体とは、自然本体、右自然体、左自然体の総称。

左自然体

右自然体

実際の試合では、左右の足を半歩(一《いっ》足長《そくちょう》)前に出す左右自然体が基本!

CHECK!

それぞれの足の位置は?

左右の組手(P24参照)によって、自然本体を基本に左右の足の位置が変化した左右自然体の形になります。右自然体は自然本体から右足を半歩(一足長)前に出し、左自然体は逆に左足を半歩(一足長)前に出した姿勢です。

左足を半歩(一足長)前に出す。

左自然体

右足を半歩(一足長)前に出す。

右自然体

POINT!

自護体《じごたい》の特徴とは?

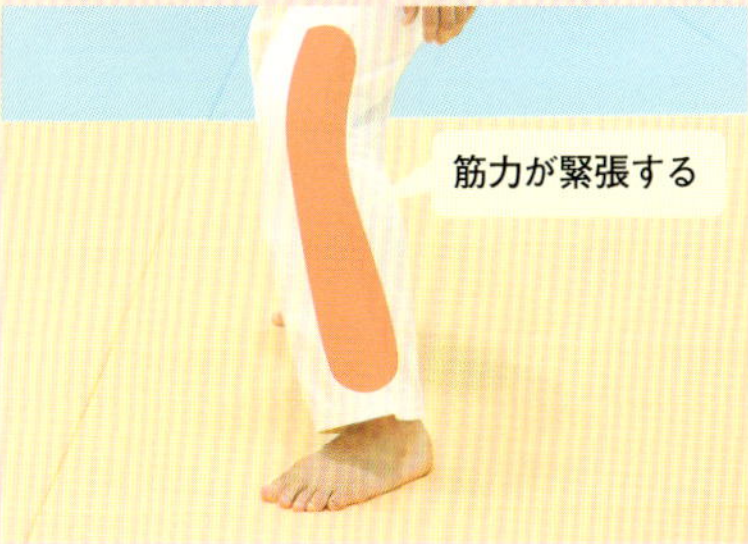
筋力が緊張する

自護体は足を大きく開き、重心を落とした姿勢。体は安定しますが、筋力が緊張するため、急な動きに対応しにくく、長時間の維持《いじ》も難しいんです! 防御《ぼうぎょ》向きの基本姿勢ですね。

※自護体とは、自護本体、右自護体、左自護体の総称。

組手《くみて》

釣手《つりて》と引手《ひきて》、どこを持《も》つの?

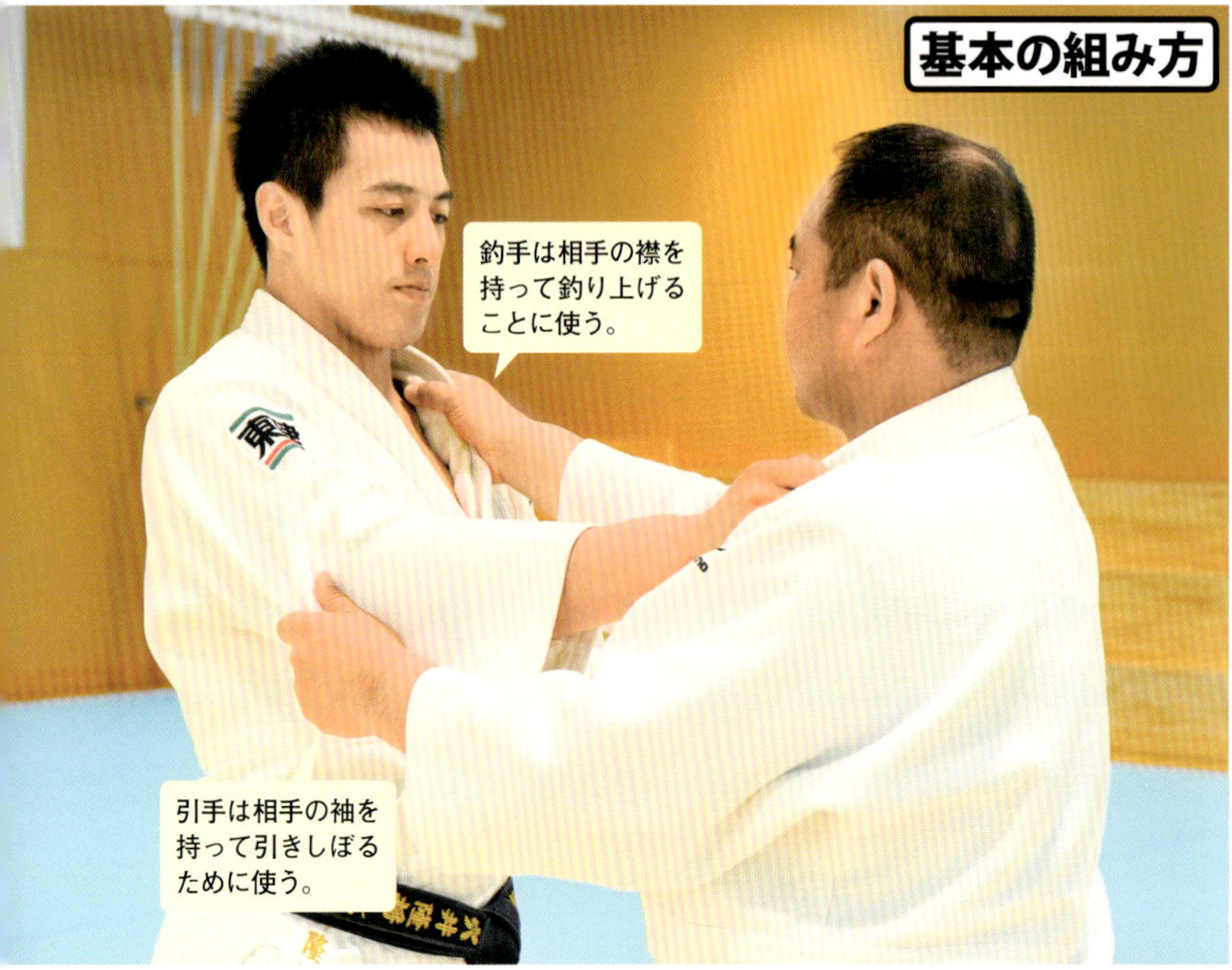
基本の組み方
釣手は相手の襟を持って釣り上げることに使う。
引手は相手の袖を持って引きしぼるために使う。

Lesson
ここが大切!

釣手《つりて》と引手《ひきて》、持《も》ち方《かた》で技《わざ》に制限《せいげん》!?

柔道は、相手と組み合わないと何もできません。ゆえに組手《くみて》(相手との組み方)が重要です。柔道の組手は、基本的に相手の襟《えり》と袖《そで》を持ちます。襟を持つほうの手を〝釣手《つりて》〟といい、主に相手を釣り上げる動作に使用します。また、袖を持つほうの手を〝引手《ひきて》〟といい、主に相手を引く動作に使います。この釣手と引手を利用して、相手の体勢を崩《くず》すのです。また、どこを持つかによって技も制限されます。

POINT!

力の合成を利用する!

異《こと》なるふたつの方向に力が加わると、その中間の方向に向かって力が合成されます。柔道では、この力の合成を利用して相手の体勢を崩していきます。つまり、釣手と引手の力を合成するのです。

崩れる方向
釣手の力
引手の力

釣手の位置

釣手と引手の持つ位置を確認しよう！

後《うしろ》（奥《おく》）襟《えり》

前襟《まええり》

相手の後方にあるのが後（奥）襟、相手の鎖骨《さこつ》の辺りが横襟、相手の胸元の周辺を前襟という。釣手は、基本的にどの技にも入りやすい横襟の部分を持つとよい。

横襟《よこえり》

CHECK!

なぜ、横襟《よこえり》・中袖《なかそで》を持つのか？

後（奥）袖を持つと回転系の投技が使えない。

組手の基本は、相手の横襟・中袖を持つことです。たとえば、後（奥）襟を持った場合、大外刈《おおそとがり》では相手の頭を下げさせることができるので有効ですが、背負投《せおいなげ》などの回転系の投技では体を回すことができません。前襟の場合も同様のことが起こります。そのため、どの技にも対応できる横襟が組手には最適なのです。中袖を持つことも同様に技の制限がないという利点があります。

引手の位置

奥袖《おくそで》

中袖《なかそで》

袖の部位も肩に近い奥袖、中間部の中袖、手首に近い袖口という３つに分類されている。引手も入れる技の制限が少ない中袖を持つことが基本。

袖口《そでぐち》

相《あい》四《よ》つとケンカ四《よ》つ

Lesson ここが大切!

ふたつの組手《くみて》、感覚《かんかく》に違《ちが》いがある!

組手には2種類、左右の違いを合わせると4つの組み方があります。右手で襟《えり》、左手で袖《そで》を持つことを〝右組《みぎぐ》み〟といい、その場合、右自然体で構えます。逆に左手で襟、右手で袖を持つことを〝左組《ひだりぐ》み〟といい、左自然体で構えます。また、右組み同士、左組み同士で組む形を〝相四《あいよ》つ〟といい、右対左、左対右と組手の左右が違う組み方を〝ケンカ四《よ》つ〟といいます。これらは微妙《びみょう》に感覚が違います。

相四つ

左組み

左手で襟、右手で袖を持つ"左組み"同士の組み方。構えは、お互いに左自然体になっている。

右組み

右手で襟、左手で袖を持つ"右組み"同士の組み方。構えは、お互いに右自然体になっている。

下半身

前足は左右が同じになるため、間隔に余裕《よゆう》がある。互いの両足に線を引くと、平行な2本の直線に。

上半身

釣手は横襟を持って、拳をしっかり立てることが大切。引手は中袖を持って、内側にしぼるように握《にぎ》る。

CHECK!

感覚の違いを体感する！

相四つとケンカ四つは、実際に組むと感覚が違います。釣手や引手の圧力の感じ方、間《ま》合《あ》い（相手との距離）など、様々な違《い》和《わ》感《かん》を感じることができます。初心者は、基本的に相四つで稽古しますが、ケンカ四つに組んで感覚の違いを体感してみることも大事！

まずは、実際に相四つとケンカ四つで組んでみてください。組んだときの感覚が微妙に違うことがわかると思いますよ！

ケンカ四つ

左組み

自分が左組みのとき、相手が右組みとなる組み方。自分は左自然体に構えるが、相手は逆に右自然体になる。

右組み

自分が右組みのとき、相手が左組みとなる組み方。自分は右自然体に構えるが、相手は逆に左自然体になる。

下半身

互いの構えが左右逆になるため、前足が相手に接近する。互いの両足に線を引くと、ハの字に。距離感の違いに注意。

上半身

釣手で相手の横襟を持ち、拳《こぶし》を立てる。引手で中袖を引きしぼる。相四つとは釣手が交錯《こうさく》するという感覚の違いがある。

なぜ、すり足《あし》で移動《いどう》するのか?

Lesson ここが大切!

足《あし》さばきの基本《きほん》は、上下動《じょうげどう》の少《すく》ない移動《いどう》

柔道は、基本的にすり足で移動します。これは、体の上下動を少なくし、より安定した姿勢を維持《いじ》するためです。体が上下し重心《じゅうしん》が高くなると、簡単に投げられてしまうのです。また、基本の足さばきは、左右の足を交互に前に送る〝歩足《あゆみあし》〟と、後足が前足を追い越さないように移動する〝継足《つぎあし》〟の2種類があります。これらは、その時々の局面において適切《てきせつ》な選択《せんたく》をし、使い分ける必要があります。

歩足

1 左右いずれかの自然体の姿勢から、左足をすり足で前に送る。

2 さらに右足をすり足で前に送る。

3 通常の歩行のように、左右交互に足をすり足で前に送る。

継足

1 右自然体の姿勢から。

2 前足である右足をすり足で前方に送る。

3 後足である左足を素早く引きつけて、元の右自然体の形に。

POINT!

すり足はどんな感覚で行うのか?

相撲のすり足は、足の裏全体を土《ど》俵《ひょう》につけたまま行いますが、柔道の場合は床が畳なのでそれができません。では、どのような感覚で行えばよいのでしょうか？　それは、両足の親指の下に半《はん》紙《し》を1枚挟《はさ》んだようなイメージで行うこと。そうすると、畳の上でもスムーズにすり足ができるようになります。

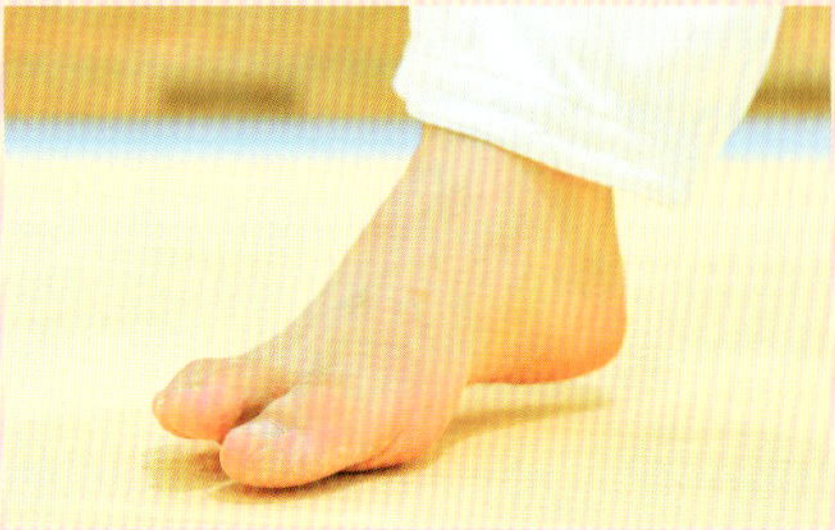

こんなときは、この足さばき!

大きく相手を追い込むとき

歩足

間合いを微調整するとき

継足

体《たい》さばき

基《き》本《ほん》の体《たい》さばきは4つ!

Lesson ここが大切!

技《わざ》につながる動作《どうさ》 体《たい》さばきとは?

柔道の技に直結《ちょっけつ》してくる基本動作が〝体《たい》さばき〟です。前《まえ》さばき、後《うしろ》さばき、前回《まえまわ》りさばき、後回《うしろまわ》りさばきという4つの体さばきがあります。左右の違いも覚えましょう。

この体さばきに、釣手と引手の力を組み合わせて相手を崩していくんです!

前さばき

1 自然本体の姿勢で、相手と向き合った状態から。

2 右足を相手の左足外側前方に。同時に右足を内側に向ける。

3 左足を引きつけ、相手との位置が90度になるよう体をさばく。

後さばき

1 自然本体の姿勢で、相手と向き合った状態から。

2 左足を自分の右足の延長線上に1歩下げながら、体を開く。

3 右足を引きつけ、相手との位置が90度になるよう体をさばく。

後回りさばき

1

自然本体の姿勢で、相手と向き合った状態から。

2

左足を自分の右足の後方に引きながら、体を開く。左足は内側に向ける。

3

引いた左足を軸に、体を後回りで回転させながら右足を引きつける。

4

体を１８０度反転させ、相手に背中を向けた状態になる。

前回りさばき

1

自然本体の姿勢で、相手と向き合った状態から。

2

右足を相手の右足の前に踏《ふ》み込む。同時にその足を内側に向ける。

3

踏み込んだ右足を軸に、体を前回りで回転させながら左足を引きつける。

4

体を１８０度反転させ、相手に背中を向けた状態になる。

実《じつ》はカンタン!・崩《くず》しの理論《りろん》

Lesson ここが大切!

投技《なげわざ》に入《はい》るために相手《あいて》の体勢《たいせい》を崩《くず》す!

投技に必要なのは、〝崩《くず》し・作《つく》り・掛《か》け〟だと言われています。これは相手の体勢を崩し、技の体勢をつくり、技を掛けるという一連の動作を表しています。では、相手を崩すとはどういうことなのでしょうか？　基本的に崩しとは、相手を自分の力で立てない状態にすることをいいます。人間は基底面積《きていめんせき》の外側に重心が出ると立てなくなり、そういう状況をつくることが柔道の〝崩し〟なのです。

POINT!

人はどうすれば倒れる？

基底面積（両足でつくる面積）の外に重心が出ると、人は自分の力で立てなくなるんです！

相手を引っ張ると、重心が基底面積の外（前方）に崩れる。

重心が崩れると、相手は立て直そうと足を前に出す。

相手が踏ん張るために出した足を狙うのが柔道のコツ。

崩しを体感してみよう!

崩しの原理を体感する具体的な方法として、このように相手と手をつないで行う練習を紹介します!

1

相手と手をつないだまま、一定の歩幅《ほはば》、リズムで後退する。

2

ある瞬間、左足を半歩大きく下げる。スピードも素早く!

3

同時に体を後さばきの要領《ようりょう》で開きながらバンザイをすると、相手は前方に崩れる。

CHECK!

リズム、スピード、方向の変化

柔道の崩しは、リズム、スピード、方向の変化によって生まれます。この体感練習で説明すると、一定のリズムから素早く半歩大きく下がることでリズムとスピードを変化させ、体を開きながらバンザイをすることで方向を変化させました。この一連の動作によって相手は崩れたのです。

DVD

1時間目

基本動作をマスターしよう!

崩《くず》し

"八《は》方《っぽう》の崩《くず》し"って？

Lesson ここが大切!

崩《くず》しの方向《ほうこう》を示《しめ》す八方《はっぽう》の崩《くず》しとは？

柔道の崩しの説明として、一般的に紹介されているのが"八方《はっぽう》の崩し"です。これは、崩しの方向を表したもので、基本的に8方向として説明されています。しかし、実際の柔道では、崩しの方向は無数にあります。初心者にわかりやすく示すために、体系化《たいけいか》されたものと考えましょう。八方の崩しは、自然本体《しぜんほんたい》を中心に、前方3方向、左右2方向、後方3方向の計8方向で、それぞれ釣手と引手、足さばきを利用して崩していきます。

自分の右後方に1歩下がりながら、釣手と引手を使って、相手から見て左斜《なな》め前方に崩す。

自分の真後ろに1歩下がりながら、釣手と引手を使って、相手から見て前方に引き出して崩す。

自分の左後方に1歩下がりながら、釣手と引手を使って、相手から見て右斜め前方に崩す。

崩しを理解するための参考として、練習してみましょう！

自分の右前方に１歩踏み出しながら、釣手と引手を使って、相手から見て左斜め後方に崩す。

自分の右側に１歩踏み出しながら、釣手と引手を使って、相手から見て左側に崩す。

自分の前方に１歩踏み出しながら、釣手と引手を使って、相手から見て真後ろに押して崩す。

自然本体右組みで相四つに組む。足は左右に変化させず、肩幅に開いてそろえた状態に。

自分の左前方に１歩踏み出しながら、釣手と引手を使って、相手から見て右斜め後方に崩す。

自分の左側に１歩踏み出しながら、釣手と引手を使って、相手から見て右側に崩す。

Hitoshi Saito's Break Time

JUDO Column

斉藤仁の休み時間

日本の柔道に誇《ほこ》りを持つこと！

私が学生の頃と現在を比較すれば、トレーニングも科学的になり、当然時代が変わってきています。しかし、時代が変わっても、基本は変わりません。柔道の稽古《けいこ》方法は変化しても、「自分はこんなに厳しい稽古をやり抜いたんだから負けるはずがない」という自信をつけること、この基本方針に変わりはないのです。稽古を通した心の成長こそが柔道の魅力であり、また、優《やさ》しさや思いやりの心を育てる、生き方を追求する、という柔道の目的は、これからも変わることはありません。

今や柔道は200以上の国と地域で親しまれる世界の〝JUDO〟へと発展し、世界中で様々なスタイルの柔道が見られるようになりました。国際的な発展を遂《と》げた柔道ですが、世界の方々からも〝日本の柔道はこうあるべきだ〟という声があがっています。つまり、日本の柔道の根《こん》幹《かん》は嘉納《かのう》師範《しはん》がつくり上げた〝講道館《こうどうかん》柔道《じゅうどう》〟であり、その精神を貫《つらぬ》くべきだということ。講道館柔道本来のしっかり組んで一本をとるという技術的な部分もそうですし、人の生き方を追求する〝道〟という部分を大切にする、それが日本の柔道だということです。

国際化の時代を迎えた柔道ですが、私たち日本人は外国のマネをする必要はありません。この素晴らしい日本の柔道に誇《ほこ》りを持ち、そして、技術的にも精神的にもスタイルを貫《つらぬ》き通すことが、日本柔道の未来をつくっていくのではないでしょうか。それができたときに、自《おの》ずと結果がついてくると私は信じています。

2
時間目

ケガをしない受《うけ》身《み》術《じゅつ》

必ずできる
ようになる！

モデル
内柴正人
先生

講師
木村昌彦
先生

イントロダクション

ケガをしない受身《うけみ》、必《かなら》ずできる受身

Lesson ここが大切!

“回転《かいてん》”と“落下《らっか》”ふたつの現象《げんしょう》に対応《たいおう》

柔道を学ぶには、まず安全を確保《かくほ》するために、受身をしっかり身につけることが大切です。通常、受身の練習では、畳に転がり回転しながら行うことがほとんどですが、実際の投技《なげわざ》では落下という現象にも対応《たいおう》しなければなりません。通常の〝回転する受身〟に加え、この章で紹介する落下に対応するための具体的《ぐたいてき》な練習法を組み込むことで、より安全に柔道の稽古に取り組むことができます。

実際の技には“回転”だけでは対応できない“落下”という現象があります。“落下する”感覚を身につけておきましょう！

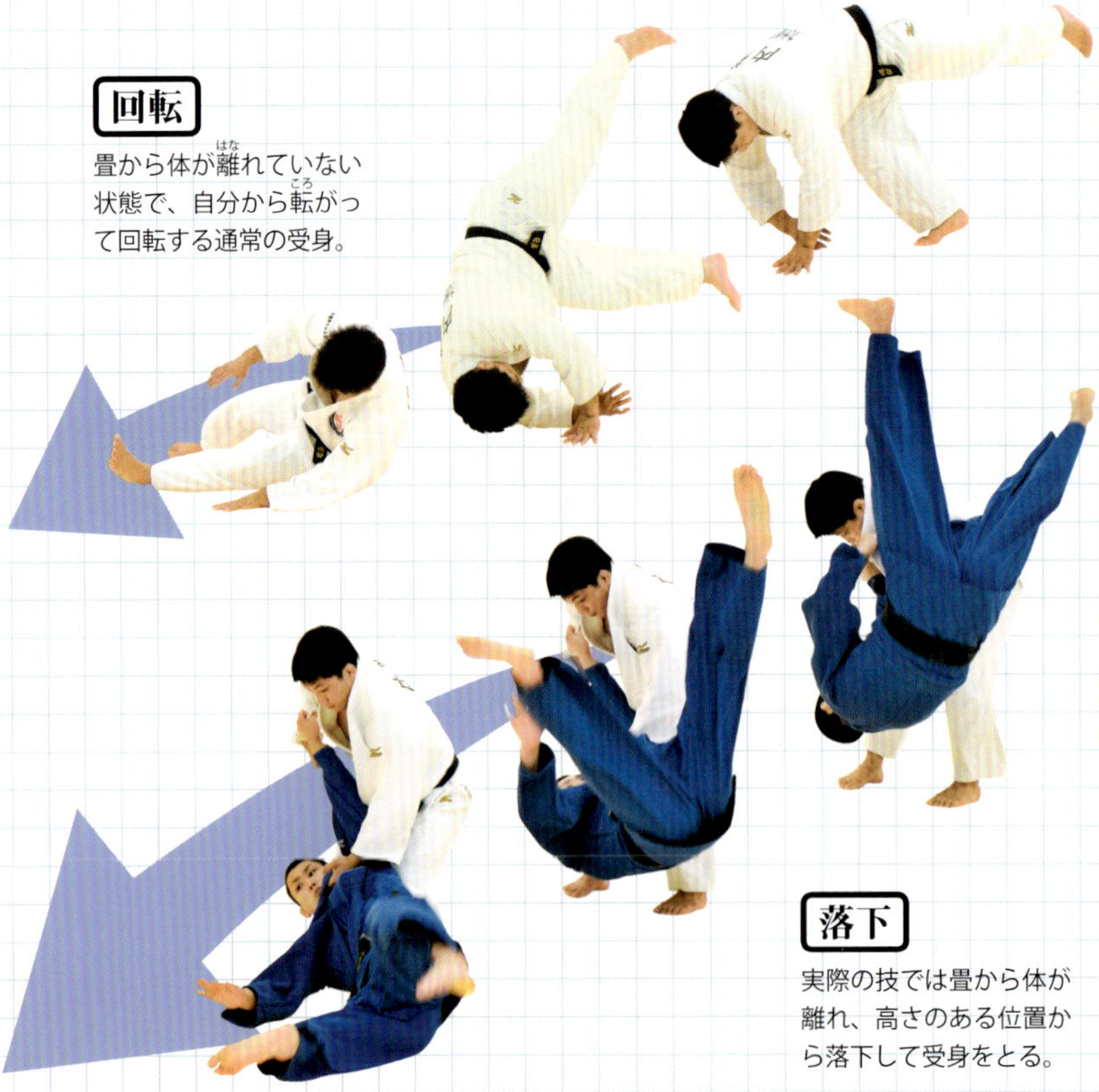

回転

畳から体が離《はな》れていない状態で、自分から転《ころ》がって回転する通常の受身。

落下

実際の技では畳から体が離れ、高さのある位置から落下して受身をとる。

基本的な受身

横《よこ》受《うけ》身《み》

→P48

横に向かって倒れる受身。主に出《で》足《あし》払《ばらい》など、足を払われたときに使う。

後《うしろ》受《うけ》身《み》

→P38

後方に倒《たお》れながら、両手で畳をたたく受身。大《おお》外刈《そとがり》などのときに使う。

前《まえ》回《まわ》り受《うけ》身《み》

→P58

前方に回転しながら行う受身。主に背《せ》負《おい》投《なげ》などかついで投げられたときに使う。

前《まえ》受《うけ》身《み》

→P56

技を掛《か》け損《そこ》ねたときなど、前方にうつぶせで倒れたときに使う受身。

ケガをせず、安全に柔道を行うために、受身は必ずマスターしておきましょう！

後受身《うしろうけみ》

回転《かいてん》する後受身《うしろうけみ》①

長座《ちょうざ》から

低い位置から始めて、徐々《じょじょ》に高くしていきます。まずは動作の感覚をつかむこと。正しくできたら、次のステップへ進みましょう！

1 両足を伸ばして座る。足をそろえ、正面を見たまま両手をまっすぐ伸ばす。

しゃがんだ姿勢から

1 しゃがんだ姿勢で、長座と同じように正面を見たまま両手を前に伸ばす。

2 姿勢を維持しながらお尻から畳につけ、ゆりかごのように後方へ転がる。

Lesson
ここが大切!

まずは低《ひく》い位置《いち》から始《はじ》めて感覚《かんかく》をつかむ

後方に倒れる後受身のポイントは、頭を打たないようにすることと、両手で畳をたたくタイミングです。まずは〝回転する〟現象に対応する後受身で、動作の感覚をつかんでいきます。最初は両足を伸ばして座る長座《ちょうざ》の姿勢から始め、しゃがんだ姿勢、中腰《ちゅうごし》、直立《ちょくりつ》姿勢というように段階的に高さを上げていきます。アゴを引いて、後頭部を打たないように行い、ケガのないように注意しましょう！

2 1の姿勢を維持したまま、ゆりかごのように後ろへ体を倒していく。

3 後帯が畳につく瞬間に両手で畳をたたく。頭を打たないようアゴを引く。

中腰も直立姿勢も、そこからしゃがんだ姿勢になって転がるので、やり方は変わりません！

3 後帯が畳につく瞬間に両手で畳をたたき、アゴを引く。

POINT!

頭の位置に注意！

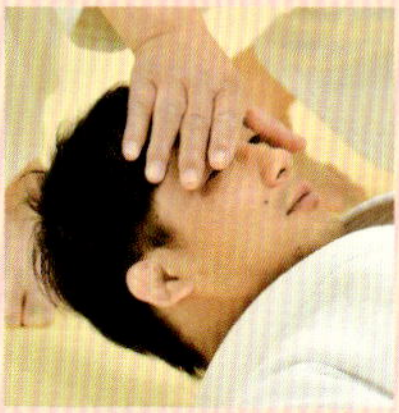

アゴを引いて後頭部を守ります。帯を見るようにするのもOK。頭を押してもらうと、首の感覚がつかめます。

CHECK!

手の使い方のコツ

両手の角度は約30〜40度。後帯が畳につく瞬間に畳をたたきます。背中がついてからたたくのでは遅い。

回転《かいてん》する後受身《うしろうけみ》②

Lesson
ここが大切!

より実戦的《じっせんてき》な動作《どうさ》を想定《そうてい》した後受身《うしろうけみ》

実際の柔道では、P38のようにしゃがんで転《ころ》がるという状況はほとんどありません。そこで実際の状況に近い形を想定して練習を行います。ポイントは〝バナナの皮〟と〝石〟をイメージすること!

バナナの皮でスリップする動作は、足を刈られたり、払われた状況と似《に》た動作になります!

バナナの皮でスリップ

1 歩いていると、「前方にバナナの皮がある」とイメージ。

2 右足がバナナの皮で滑《すべ》ったようなつもりで後方に倒れる。

3 残った左足を折り曲げて、お尻から畳につく。

4 回転する後受身の要領《ようりょう》でアゴを引いて、両手で畳をたたく。

石につまづいて後方に転《ころ》ぶ動作は、大内《おおうち》刈《がり》などで後方に倒されたときの動作に似ています！

石につまづいたイメージ

1

後方にバランスを崩し、よろける。その先に石があるイメージ。変化をつけ、自護体から行ってもよい。

2

よろけた先の石につまづいたつもりで、後方に倒れる。

3

お尻から畳につき、衝撃《しょうげき》をまともに受けないようにする。

4

回転する後受身の要領でアゴを引いて、両手で畳をたたく。

後受《うしろうけ》身《み》

落下《らっか》する後受《うしろうけ》身《み》

落下とは？

このように実際の技では、落下するような状態から受身をとらなければいけません。

落下を再現！
この高さが"落下"

畳から離れた位置から倒れる分、落下する現象と同じ感覚で練習できるんです！

Lesson ここが大切！

ふたりひと組《くみ》で落下《らっか》の現象《げんしょう》を再現《さいげん》！

回転する後受身ができたら、次に"落下"現象に対する後受身を練習します。上の写真のように大外刈《おおそとがり》などで投げられると、高さのあるところから落下するように倒れます。基本は同じですが、回転する後受身とは、かなり感覚が違います。落下現象を再現《さいげん》するために、ふたりひと組となり、パートナーに馬になってもらいます。そこに腰かけた状態から後方に倒れることによって、落下を再現します。

1
パートナーに馬になってもらい、そこに腰かける。
2
お尻から徐々にずらしていく感覚で後方に倒れる。
POINT!
3
お尻から畳につく。背中からつくと危険なので要注意。
4
回転する後受身と同様、アゴを引いて、両手で畳をたたく。
CHECK!

CHECK!

頭を打たないよう注意!

落下する後受身も基本は同じ。後頭部を打たないようにアゴを引いたり、帯を見たりしながら正しい形で行いましょう！

POINT!

お尻からずらしていく

お尻を後ろにずらしていく感覚で後方に倒れます。段階的にずれを少なくしていき、最後はずらさずに落下します。

投《な》技《げわざ》を利《り》用《よう》した後《うしろ》受《うけ》身《み》①

Lesson ここが大切!

簡単《かんたん》な投技《なげわざ》を使《つか》って実際《じっさい》の感覚《かんかく》をつかむ

次に簡単な投技もどきを利用して、さらに実際の感覚に近い後受身を身につけていきます。ここで利用するのは、小内刈《こうちがり》のような技。足を内側から刈《か》られる形になり、倒れるときはバナナの皮でスリップする練習（P40）と同じ要《よう》領《りょう》で、回転する後受身を使います。この練習によって技への恐怖心を軽減《けいげん》することもできます。ポイントはこれまでの基本と同じなので、正しい形を崩《くず》さないように注意！

1 自然本体の姿勢で相手と正面で向かい合う。組み合わなくてもよい。

小内刈もどきを利用して、実際の感覚に近い後受身を練習します。バナナの皮でスリップしたイメージをよく思い出してください！

4 取りは、右足で相手の右足を内側から斜《なな》め方向に刈る。

5 受けは、残った左足を深く曲げて腰を落としていく。

体の位置は90度に！

小内刈もどきで相手の右足を内側から刈るときは、必ず右足前さばきを利用して相手の体との位置を90度にします。こうすることで、足を刈る振《ふ》り幅《はば》のスペースが確保され、相手の右足を大きく刈ることができるんです。

CHECK!
相手との体の位置は必ず90度にしましょう！

2 技を掛ける側（取り）は相手の両肩をつかむ。受身をとる側（受け）は右足を前に。

CHECK!

3 取りは右足前さばき（P28）で相手と90度の位置に。

6 回転する後受身の要領で、お尻から畳につき、後方に転がる。

※ 用語解説 技を掛ける側＝取り
技を受ける側＝受け

最後はアゴを引いて、後頭部を打たないように注意しましょう！

後受身《うしろうけみ》

投技《なげわざ》を利用《りよう》した後受身《うしろうけみ》②

Lesson
ここが大切!

大外刈《おおそとがり》もどきで実際《じっさい》に落下《らっか》を体感《たいかん》！

今度は、落下する後受身の実際の感覚を、大外刈もどきを利用して身につけていきましょう！

POINT!

左ひざを浮《う》かせる！

立てひざの姿勢は、必ず左ひざを浮かせること。畳につけると、スムーズに行えなくなります。

立てひざの姿勢から

1 受けは右ひざを立て、左ひざを畳につけないように寝かせる。取りは右組みで相手の右横に。

大外刈もどきを利用した練習は、最初は立てひざの姿勢で始め、次に少し姿勢を高くして中腰の状態で行います！

中腰の姿勢から

1 受けは、中腰の姿勢となり、右の相《あい》四《よ》つに組む。右足を相手のほうに差し出す。

2 取りは相手を軽く押し倒しながら、右足で相手の右足を刈る。上体で相手を誘導する感覚。

基本の形を崩《くず》さない！

CHECK!

実際の技に近い形になるため、恐怖心も出てくるかもしれませんが、基本の形は崩さないようにすること。また、これまでは両手で畳をたたきましたが、自分の釣手を相手につかまれるため、片手でたたく形になります。

2 取りは相手を軽く押し倒しながら、右足で相手の右足を刈る。上体《じょうたい》で相手を誘導《ゆうどう》する感覚。

3 取りは引手を離《はな》さないようにする。受けは後受身の基本を崩さず、左手で畳をたたく。

3 実際の大外刈に近い状態。受けは上体を後方に押されつつ、右足を反対方向に刈られて落下。

4 取りは、引手を離さないこと。受けは左手で畳をたたき、基本の形を崩さないようにする。

回《かい》転《てん》する横《よこ》受《うけ》身《み》①

Lesson ここが大切!

まずは基本《きほん》の形《かたち》を覚《おぼ》えることが大切《たいせつ》!

横受身は横方向に倒れるときに使用します。これも回転と落下というふたつの現象があり、それぞれに対応する練習を行います。まずは寝た状態で最終的な形を覚え、回転する横受身の練習に入ります。

まずは寝た状態で基本の形を覚えます。これは落下する横受身でもポイントになりますよ!

寝た姿勢から

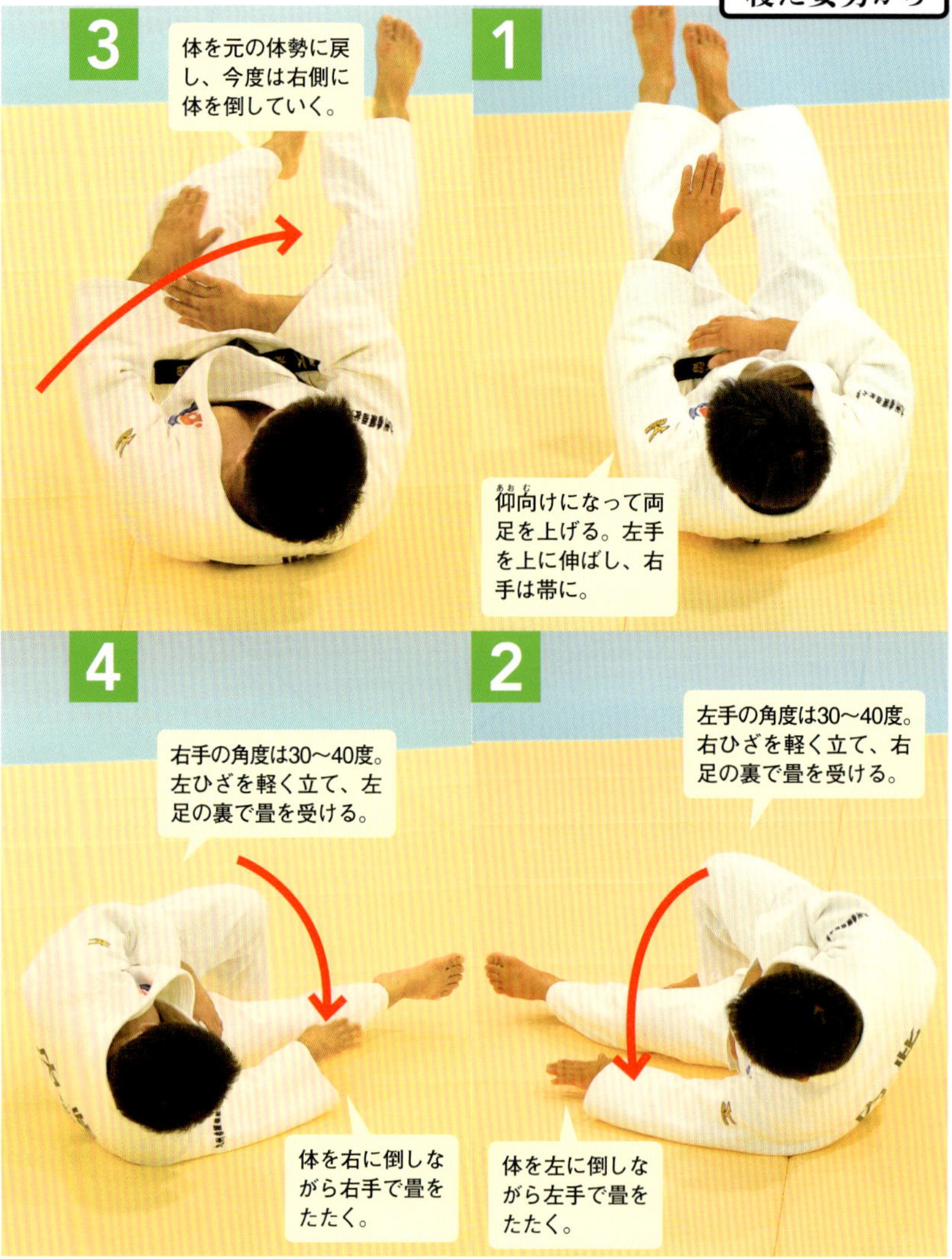
1
仰向《あおむ》けになって両足を上げる。左手を上に伸ばし、右手は帯に。
2
左手の角度は30~40度。右ひざを軽く立て、右足の裏で畳を受ける。
体を左に倒しながら左手で畳をたたく。
3
体を元の体勢に戻し、今度は右側に体を倒していく。
4
右手の角度は30~40度。左ひざを軽く立て、左足の裏で畳を受ける。
体を右に倒しながら右手で畳をたたく。

直立姿勢から

1
まずは、自分の右方向に倒れていく。

2
右手と右足を左方向に振りながら、体を右側にかたむける。

3
左ひざを曲げて、お尻から下方に落としていく。

4
体を右に転がしながら、帯が畳についた瞬間、右手で畳をたたく。

5
再び直立姿勢になり、今度は左側に倒れていく。

6
左手と左足を右方向に振りながら、体を左側にかたむける。

7
右ひざを曲げて、お尻から下方に落としていく。

8
体を左に転がしながら、帯が畳についた瞬間、左手で畳をたたく。

横受身《よこうけみ》

回転《かいてん》する横受身《よこうけみ》②

Lesson ここが大切!

移動《いどう》や逆手《ぎゃくて》、実際《じっさい》の動作《どうさ》を想定《そうてい》!

次に、回転する横受身をより実際の感覚に近い形で練習してみましょう。横移動からの横受身や、振り上げた足と逆の手で畳をたたく練習を行います。感覚の違いを体感しておくことが大切です。

移動しながらの横受身は、横移動中に相手に足を払われたりするケースを想定しています！

移動しながら

1
右足を右方向に踏み出す。
2
継足《つぎあし》で左足を引きつける。
3
さらに右足を右に踏《ふ》み出しながら右手を右に振り上げる。
4
右手と右足を左方向に振り上げながら、体を右にかたむける。
5
左ひざを曲げて腰を落とす。
6
お尻から畳につき、右に体を転《ころ》がしながら、右手で畳をたたく。

実際の技では……

単独《たんどく》練習では、振り上げた足と同じ側の手で畳をたたきましたが……
実際の技では、払われた足と……
逆側の手で畳をたたくんです！
内柴

そこで、下のような練習をします！

逆手の横受身

1
通常の横受身と同様に直立姿勢から右方向に倒れていく。
2
右足と両手を振り上げながら反転する。
3
左ひざを深く曲げて、お尻から畳につく。
4
体を右に転がしながら振り上げた右足とは逆の左手で畳をたたく。
内柴

落下《らっか》する横受身《よこうけみ》

Lesson ここが大切!

ペアを組《く》んで落下《らっか》の現象《げんしょう》を体感《たいかん》する!

横受身も落下の現象を再現して、感覚の違いを体感しておきます。ペアになって、ひとりが受身、ひとりが持ち上げ役を務《つと》めます。パートナーに持ち上げられて、空中で一回転しながら受身をとります。

空中で回転しながら落下するので、回転する横受身とは、かなり感覚が違うんです!

落下を再現してみよう!

CHECK!

どこをつかむのか?

相手の右の袖口《そでぐち》と、左ひざ辺りの下ばきをつかみます!

下の写真のように、受身側はよつんばいになり、持ち上げ役はしゃがんで相手の袖《そで》と下ばきをつかみます。

1

持ち上げ役が一気に立ち上がり、受身側が宙に浮く。

2

受身側の体が回転すると同時に、持ち上げ役は右手を離《はな》す。

3

左手で畳をたたき、右ひざを軽く立てながら足の裏で畳を受ける。

受身をとるときは、寝た姿勢の横受身（P48）で学んだ形をしっかりとることが大切です。また、持ち上げ役は左手を離さないこと！

横受身《よこうけみ》

投技《なげわざ》を利用《りよう》した横受身《よこうけみ》

Lesson ここが大切!

実際《じっさい》に近《ちか》い投技《なげわざ》で横受身《よこうけみ》をマスター!

回転と落下に対応したそれぞれの横受身を、さらに実際に近い形で体感する練習です。今回は出足払《であしばらい》もどきと、膝車《ひざぐるま》もどきを利用します。投技に対応した動作感覚をしっかりと身につけましょう。

投技を利用して実際の感覚を身につけます。取りは引手を離さないよう注意してください!

出足払もどきを利用

1 右の相四《あいよ》つで組んで、受けは右足を1歩前に出す。

2 取りは相手と90度の位置から、左足の裏で相手の右足、外くるぶしを払う。

膝車もどきを利用

1 受けはつま先を寝かせながら両ひざで立ち、取りは直立。右の相四つで組む。

2 取りは右足を相手の左ひざの外側に1歩踏み出す。

CHECK!

つま先は寝かせる!

膝車もどきの際に、受身側は両ひざで立ちますが、このとき、つま先は必ず寝かせます。つま先を立てると踏ん張りがきいてしまい、投げにくくなるからです。スムーズに投げるためには、必ずつま先は寝かせておきましょう!

3 受けは逆手の横受身(P51)の要領《ようりょう》で、左ひざを曲げて腰を落とす。同時に体を反転させる。

4 払われた右足とは逆の左手で畳をたたく。取りは最後まで引手を離さないようにする。

3 取りは、ハンドルを左に切るように両手を回し、相手の右ひざに左足の裏を当てる。

4 受けは体を反転し、左手で畳をたたく。このとき落下する横受身(P52)と同様、最後の形に注意する。

前《まえ》受《うけ》身《み》

痛《いた》くない前《まえ》受《うけ》身《み》

立った姿勢から

1 両足を肩幅に開き、両手を顔の前でハの字に構える。

2 1の姿勢を維持《いじ》したまま、体を前方に倒していく。

こんなときに使う!

前受身は投げられたときではなく、上の写真のように、自分が投技を仕掛けてつぶされてしまったときや、相手の投技を体の反転によってかわすときなどに使用します。

最初はひざ立ちの姿勢で、低い位置から始めるとよい。

Lesson ここが大切!

前《まえ》に倒《たお》れるときは手《て》のたたき方《かた》がコツ

前方に倒れる前受身は、投技がつぶれたときなどに使います。痛くないように行うには、ひじから先を使うバレーボールのフローター・サーブのような感覚で両手で畳をたたくことがポイントです。

畳のたたき方がまずいと、かなり痛いです。低い位置から練習し、感覚をつかみましょう!

◀ **3** 両手のひじから先を使い、バレーボールのフローター・サーブのような感覚で畳をたたきにいく。

4 つま先を立て、ひざ、お腹を畳につけないように注意する。

CHECK!

つま先を立て、ひざをつかない

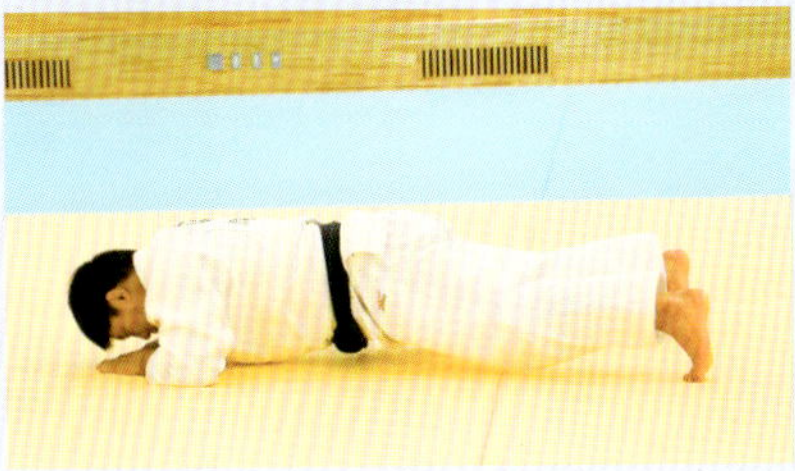

衝撃を和《やわ》らげるポイントはもうひとつ。畳についたときに、つま先を立てて、ひざとお腹を浮かせることです。これが畳についてしまうと、衝撃をまともに受けて、ケガをしてしまう危険性もあります。

POINT! 2

バレーボールのサーブのようにたたく!

前受身を痛くないように行うには、両手の使い方が重要。両手をハの字に構え、バレーボールのフローター・サーブようにひじから先を使って、前に押し出す感覚で畳をたたくと、衝撃《しょうげき》を減らせます。

回転《かいてん》する前回り《まえまわ》受身《うけみ》①

Lesson ここが大切!

受身《うけみ》の中《なか》でも一番《いちばん》難易度《なんいど》が高《たか》い!

前方に回転しながら行う前回り受身は、受身の中で最も難《むずか》しい受身です。右手を支点《してん》に回転しながら体の対角線《たいかくせん》上をなぞるように、ひじ、肩、背中、腰と順番に畳につくことで衝撃《しょうげき》を分散《ぶんさん》します。

前回り受身も回転と落下では感覚が違います。回転する方法でまずは基本を身につけましょう!

しゃがんだ姿勢から

1 しゃがんだ姿勢から、右足をやや前に出して構える。

2 右手を小指側から畳につける。同時に前方に向かって体をかたむける。

直立姿勢から

1 直立姿勢から右足を1歩踏み出し、体を前傾《ぜんけい》させる。

2 右手を小指側から畳につける。このとき、大きく前方につけること。

POINT!

手は正しく使う!

陥《おちい》りやすい間違いは、右手を畳につくときに、内側に入れ込んでしまうこと。内側に入れすぎると、手から直接肩に落ちてしまうので、手からひじと順番に接《せっ》地《ち》するよう注意しましょう!

3 顔をやや左に向けながら右ひじ、右肩の順に畳につけていく。

4 右肩から体の対角線上をなぞるように体を回転させる。

5 右ひざを軽く立て、右足の裏で畳を受けながら、左手で畳をたたく。

3 顔をやや左に向けながら右ひじ、右肩の順に畳につけていく。

4 右肩から体の対角線上をなぞるように体を回転させ、左手で畳をたたく。

5 回転の勢いを利用して、左手を支えにそのまま起き上がる。

前回《まえまわ》り受身《うけみ》

回転《かいてん》する前回《まえまわ》り受身《うけみ》②

Lesson ここが大切!

相手《あいて》の動《うご》きに反応《はんのう》し、素早《すばや》く受身《うけみ》に入《はい》る!

回転する前回り受身の応用として、交互《こうご》に飛び込む練習をします。これは、相手の動きに素早く反応し、瞬間的に正しい受身をとるための練習です。ポイントは、できるだけ前に大きく飛び込むこと!

実戦の投技は、一瞬のタイミング。これに素早く反応して受身をとることが必要なんです!

交互に飛び込む練習①

1
一方が馬になり、一方が受身をとる。
2
馬を飛び越えるようにして前回り受身をする。
3
受身を取り終えたら、今度は交替して行う。
4
素早く起き上がり、馬を飛び越えていく。
5
大きく前に飛び込むよう心がけること。
6
再び交替して、この動作を繰り返していく。

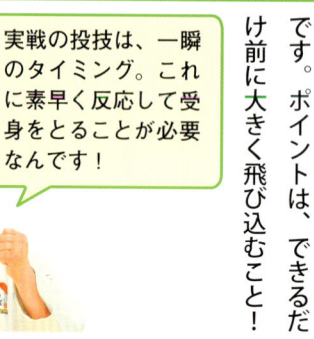

交互に飛び込む練習②

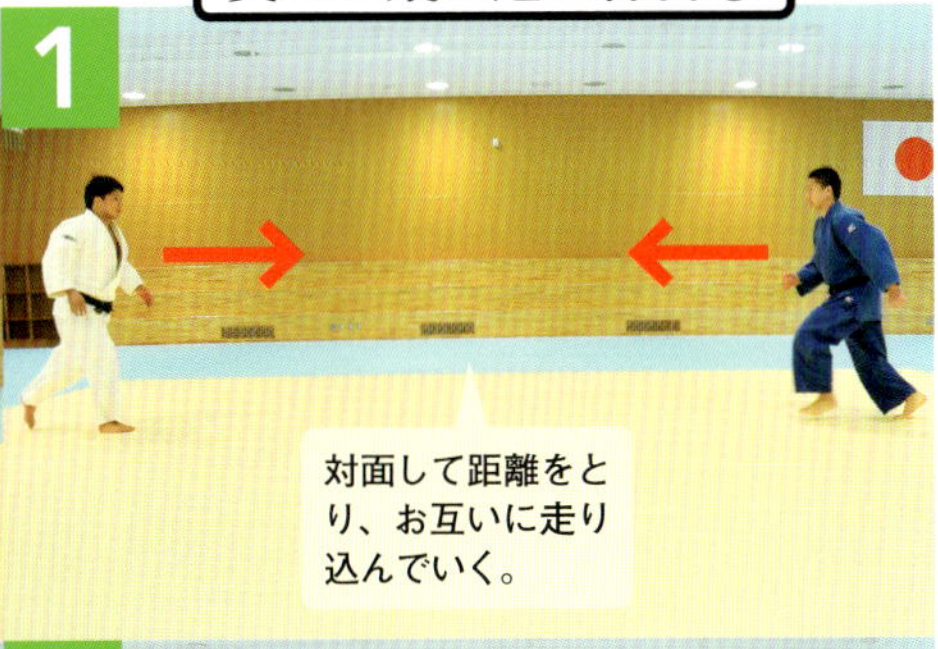
1
対面して距離をとり、お互いに走り込んでいく。

2
ぶつかる直前に一方が馬に、一方が受身をとる。
POINT!

3
瞬時に反応し、大きく前に飛び込んでいく。
CHECK!

4
受身を取り終えたら、素早く反対サイドへ。

5
再び相手と対面し、互いに走り込んでいく。

6
再び、一方が馬をつくり、それを飛び越えていく。

POINT!

動きに合わせて瞬間的に反応する!

相手がぶつかる直前に馬をつくったら、その動作に素早く反応して受身の体勢に入ります。この反応が実戦につながります。

CHECK!

大きく前に飛び込む!

近くに飛ぶと回転がスムーズにいかず、かえって危険。前方に向かって大きく飛ぶと、きれいに回転することができます。

落下《らっか》する前回《まえまわ》り受身《うけみ》

Lesson ここが大切!

落下《らっか》の恐怖心《きょうふしん》を体感練習《たいかんれんしゅう》で克服《こくふく》する

実際に背負投《せおいなげ》などで投げられると、空中で一回転するため、初めての人は怖《こわ》がってしまうこともしばしば。しかし、感覚に慣《な》れてしまえば難しいことはありません。体感練習で感覚を身につけましょう。

簡単なところから、落下を体感しましょう！

実際の技では……

落下

POINT!

落下の感覚を体感しておく!

右の写真のように、実際の技では高い位置から落下します。この感覚は、回転する練習だけではハードルが高いように感じられます。そこで、簡単な体感練習で、段階的に落下に慣れさせていきます。

落下の現象を再現

相手が馬になり、その上から受身を行います！

この高さの分が、落下に相当する。

1
右手で相手の帯をつかみ、それを支点《してん》にする。

2
通常の前回り受身の形で、馬を乗り越える。

3
この状態が落下に相当《そうとう》している。

4
POINT!
左手で畳をたたき、右手は帯をつかんだまま。

基本の形が崩れるのはダメ！ NG

基本の姿勢が崩れてはいけません。落下も回転する受身と同様の形で行うこと！

POINT! 最後まで帯を離さない！

帯を離すと衝撃《しょうげき》が増します。帯をつかむことで上体《じょうたい》が浮き、頭部も守られます。

前回《まえまわ》り受《うけ》身《み》

投《なげ》技《わざ》を利《り》用《よう》した前《まえ》回《まわ》り受《うけ》身《み》

Lesson ここが大切!

投《な》げられる感覚《かんかく》を身《み》につける！

簡単な投技で、実際に投げられる感覚を身につけていきます。手をつないで走りながら、合気道《あいきどう》のように投げていきます。力に逆《さか》らわず、自分から積極的に回転することが、重要なポイント！

自分から飛び込んだほうが、むしろ安全なんです！

相手と90度の位置で、右手と右手で手をつなぎます。
受けは、左手で相手の右ひじを持ちます。
90°

1 手をつないだ形のまま、受けの前方に向かって走り込む。

POINT!

2 取りは右手を大きく上に上げ、相手を上方に導《みちび》く。

CHECK!

最後まで手を離さない！

受身の衝撃《しょうげき》を和らげ、頭を保護《ほご》するため、最後まで右手は離さないように！

力に逆らってはいけない！ NG

力に逆らってしまうとうまくいきません。自分から積極的に回転しましょう！

POINT!

相手を大きく回すこと！

相手を投げるときは、右手を大きく上に上げてから、一気に下方へと引き下ろします。右手の動作が小さいと、相手に力がうまく作用せず、受けもスムーズに受身をとることができません。取りは、相手が受身をとりやすいように、できるだけ大きく回してあげるよう心がけましょう！

5 基本通りに受身をとる。取りは最後まで右手を離さないこと。

4 受けは、取りの力に逆らわず、前方に体を回転させる。

3 取りは、2の状態から一気に下へ右手を引き下ろす。

Masahiko Kimura's Break Time

JUDO Column

木村昌彦の休み時間

より安全に柔道を楽しむ！

中学校の体育の授業で武道が必修科目となり、柔道に触れるお子さんも増えていると思います。しかしながら、柔道は格闘技《かくとうぎ》ですから、体の接触《せっしょく》もある競技ということで、ケガを心配される方も多いのではないでしょうか？

今回、〝より安全に柔道を楽しむ〟ということを実践《じっせん》するために本書を制作しました。柔道は事故が多いとよく言われていますが、柔道とは本来、そういった事故をなくすためのものなんです。事故のないように、受身や基本動作を学ぶわけですが、それを正しく理解して実践することが、安全に柔道を楽しむことの第一条件になります。また、柔道の基本となる技術を学ぶ上で、安全を確保《かくほ》するためには、〝必ずルールに則《のっと》って行う〟ことが重要です。ここでいうルールとは、審判法などはなく、道徳的なものも考えた上でのルールのことです。これをしっかり守ることで安全面が確保できると思います。とくに私が重要だと感じているのが、わかって、できたものをどのように使うのか？ということ。〝なぜ、そうするのか？〟という理由がわかれば、技術をいかに使えばいいのかということも理解できるようになりますし、それを理解することが、柔道の楽しさと安全にもつながっていくのだと考えています。

これから柔道を学ぶ人には安全面も大事ですが、相手があっての自分、自分があっての相手という相互《そうご》に成長する感覚を体験してほしいと思います。それが柔道の楽しさであり、一番の魅力ですから。

3
時間目

“刈《か》る系《けい》”の投技《なげわざ》

動作は正確に行おう！

講師
篠原信一
先生

イントロダクション

“刈《か》る系《けい》”の投《な》技《げわざ》って？

刈る系の投技とは……

体重が乗った相手の足を刈る！

相手の足を刈るときは、足だけで刈ってもうまくいきません。上体で相手の体勢をしっかり崩し、体全体の力を利用します！

Lesson
ここが大切！

足《あし》だけでなく、体《からだ》の力《ちから》を利用《りよう》する！

3時間目は“刈る系”の投技です。相手の足を刈って投げる一連の技は、相手の重心を崩《くず》して、不安定な状態にすることが大切。投げる前に相手をしっかりと崩し、重心が乗った相手の軸足《じくあし》を、体の力を利用しながら刈っていきます。足だけで刈るのではなく、体の力を利用することがポイントです。これらの基本的な動作を正確に行い、ひとつひとつの技を確実にマスターしていきましょう！

刈る系の投技3大ポイント

POINT 1 しっかり刈りきる!

相手の足を刈るときは、中《ちゅう》途《と》半《はん》端《ぱ》な動作で行うのではなく、最後まで正確に、しっかり刈りきるということが大切です!

POINT 2 頭の向きは正しく!

刈る系の投技は、体全体の力を利用して刈ることが重要。そのため、頭の向きは必ず投げる方向に向けることがポイント!

POINT 3 つま先は鋭角《えいかく》に!

大外刈《おおそとがり》などはとくに、つま先を伸ばして足を鋭角に使うことが必要。足の力を充実《じゅうじつ》させ、ケガの予防にも効果があります!

大内刈《おおうちがり》

→P80

大外刈《おおそとがり》

→P70

本章では4つの技を紹介

小内刈《こうちがり》

→P84

小外刈《こそとがり》

→P76

大外刈《おおそとがり》

STEP 1

大外刈《おおそとがり》はドアノブだ!

Lesson ここが大切!

反対方向《はんたいほうこう》に働《はたら》く力《ちから》を利用《りよう》して投《な》げる!

ドアノブを回すとき、上と下では反対方向に力が働きますが、これを偶力《ぐうりょく》と呼びます。大外刈はこの偶力を利用することが大切。まずは、下半身、上半身と動作のポイントを分けて解説していきます。

まずは、2時間目で行った受身(P46)の練習をおさらいしましょう!

CHECK!

受けは左ひざをつかない

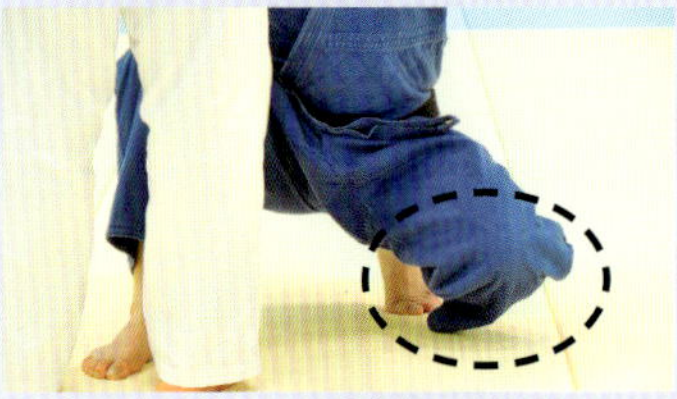

ケガの恐れがあるため、受けは、左ひざを畳につけないこと!

受身のおさらい

1

受身側(受け)はしゃがんで右ひざを立てる。

2

相手の右足の外側に立ち、右足で相手の右足を刈る。

3

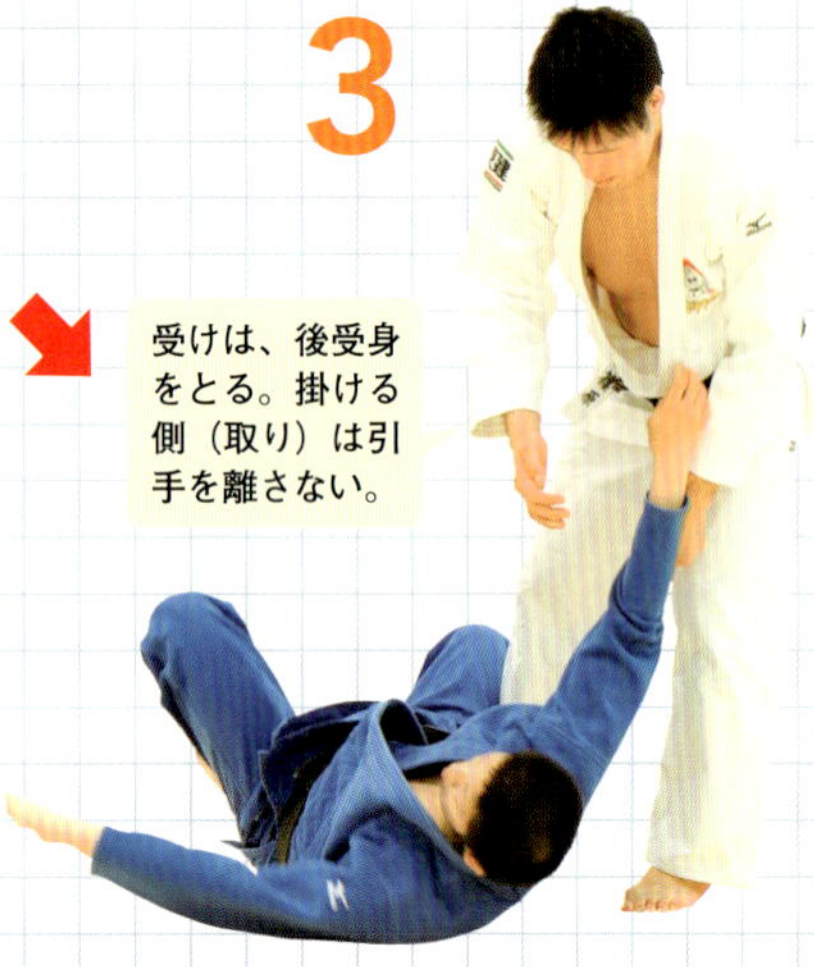

受けは、後受身をとる。掛ける側(取り)は引手を離さない。

※ 用語解説
技を掛ける側=取り
技を受ける側=受け

下半身の体感練習

まずは下半身の使い方です。組み合わず、相手の両肩を持って、右足を振り上げる感覚を身につけます。大きな動作を心がけましょう！

1
相手の両肩を持ち、両足をそろえて向かい合う。

2
左足を相手の右足の外側に1歩踏み込む。このとき、左ひざは軽く曲げること！

3
相手に体を密着させながら、右足を振り上げる。
CHECK!
POINT!

CHECK! つま先を伸ばす！

右足を振り上げるときは、つま先を伸ばし、サッカーボールを蹴るような感覚で振り上げます。これによって力が充実《じゅうじつ》！

POINT! 体を密着させる！

右足を振り上げると同時に、両手で抱き寄せるように相手と密着します。この動作は、後に、上体《じょうたい》の崩《くず》しにつながります。

上半身の体感練習

しっかり崩す!

釣手と引手で相手を“右《みぎ》横《よこ》”に崩し、右足に重心をかけさせます。

引手

1
右組み相四つの状態から。

2
右足の振り上げのときに、左ひじを引きながら相手と密着。
CHECK!

釣手

1
右組み相《あい》四《よ》つの状態から。

2
1歩目で右《みぎ》拳《こぶし》を立て、相手に圧力を加える。

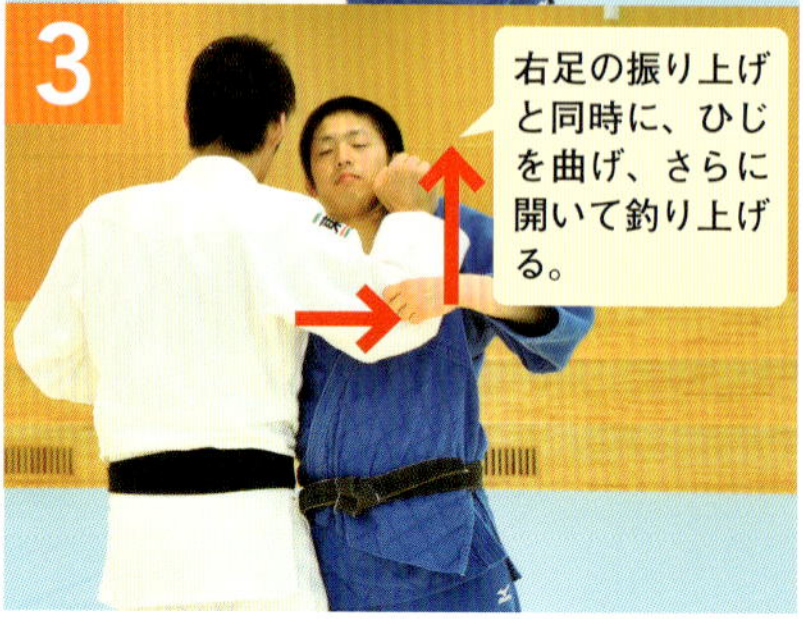
3
右足の振り上げと同時に、ひじを曲げ、さらに開いて釣り上げる。

CHECK!

崩すときは手首を返す!

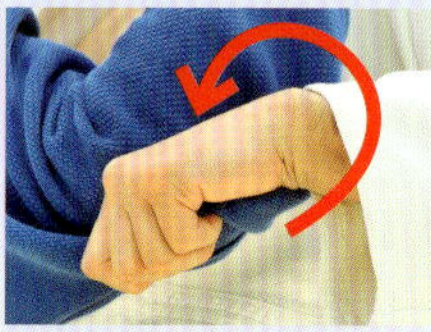

引手を引くときは、指が下を向くように、内側へ手首を返します。

ドアノブをイメージ!

軸

上下で反対方向の力が加わる

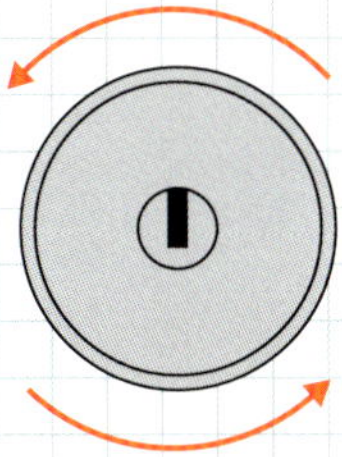

ドアノブを回す

偶力《ぐうりょく》とは?

ドアノブや水道の蛇口《じゃぐち》のコックを回すときには、上下で反対方向の力が働きます。大外刈は、腰を軸に上半身と下半身で反対方向の力を加え、体全体の力を利用して刈ります。

空振り練習

1
右の相四つの状態から。

2
左足を相手の右足外側に踏《ふ》み込む。左ひざは軽く曲げる。

3
両手で相手を崩しながら、右足を振り上げる。

4
上体を前に倒しながら、右足を後方に振り上げる。

STEP 2

実際《じっさい》にチャレンジ！

Lesson ここが大切！

上半身《じょうはんしん》と下半身《かはんしん》、ふたつの力《ちから》を連動《れんどう》！

上半身と下半身、それぞれの動作を身につけたら、今度はそれらを連動させ、実際の大外刈で投げてみましょう。最初は静止《せいし》状態で動作の感覚を練習し、さらに歩足《あゆみあし》で前進して相手を押し込みながらの大外刈にチャレンジします。上半身と下半身、それぞれの動作のポイントを正確に行いながら、偶力《ぐうりょく》の働きを意識します。腰を引いたり、左ひざを突っ張ったりしないよう、正しい動作で行いましょう。

1 右の相四つで組んだ状態から。

2 左足を相手の右足外側に踏み込む。左ひざは軽く曲げる。

1 右の相四つで組んだ状態から。

2 右足から歩足で相手を押し込んでいく。

3 左足を相手の右足外側に踏み込む。左ひざは軽く曲げる。

CHECK!

最後まで引手を離さない!

受けは真後《まうしろ》に倒れるため、受身に失敗するととても危険です。大外刈はとくに、投げやすい技である反面、受けの体をコントロールしにくいという特徴があります。ケガの予防という意味で、引手は絶対離《はな》さないこと！

3 上体を崩しながら相手と密着し、右足を振り上げる。

4 上体で相手を押し倒しながら、右足で相手の右足を刈る。

5 最後までしっかり刈りきる。引手は離さないように注意する。

4 上体を崩しながら相手と密着し、右足を振り上げる。

5 上体で相手を押し倒しながら、右足で相手の右足を刈る。

6 最後までしっかり刈りきる。引手は離さないように注意する。

小《こ》外刈《そとがり》

STEP 1

小《こ》外《そと》刈《がり》はバナナスリップ!

静止状態から

1 右の相四つで組んだ状態から。

2 左足を相手の右足の外側に踏み込む。

3 継足《つぎあし》で右足を引きつけ、釣手は上方、引手は下方に崩す。

POINT!

体の位置は90度に!

小外刈は、前さばき(P28)を利用して、相手との位置を90度にして行います。正対《せいたい》したまま刈ると、自分の体が邪《じゃ》魔《ま》になって大きく刈ることができません。必ず90度の位置から、つま先方向に大きく刈るようにしましょう!

Lesson ここが大切!

畳《たたみ》につく瞬間《しゅんかん》に、相《あい》手《て》の足《あし》をスリップ

小外刈は、相手の外側からかかとをつま先方向に刈る技です。移動しながら仕《し》掛《か》けるときは、相手の足が畳につく瞬間、バナナの皮でスリップさせるような感覚で刈ります。

まずは、静止状態での小外刈を練習し、動作のポイントをつかみましょう!

5 引手は最後まで離さないようにする。

4 上体の崩しを行いながら、左足で相手の右かかとをつま先方向に刈る。

イメージはバナナスリップ！

足を刈るときのイメージは、相手の足をバナナの皮でスリップさせるような感覚。静止状態よりも動きの中で行うほうがタイミングが取りやすくなります！

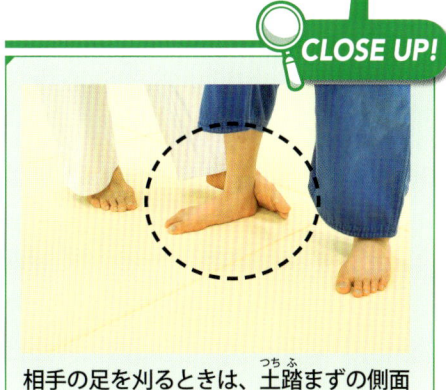

CLOSE UP!

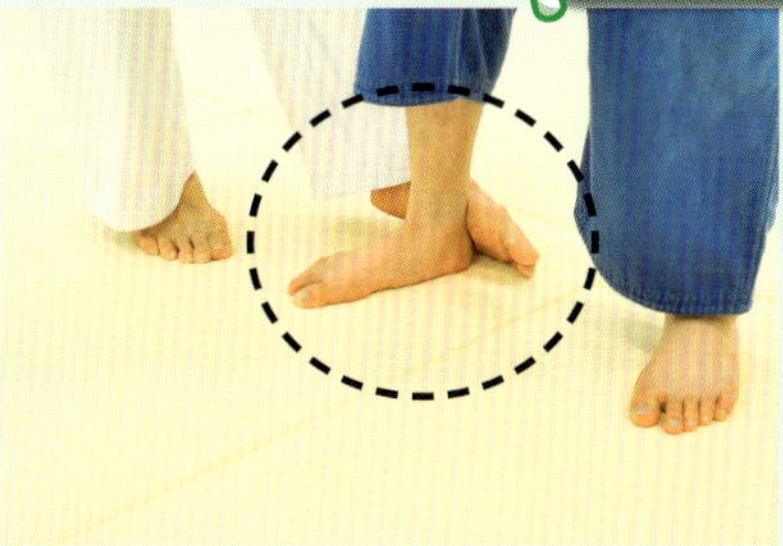

相手の足を刈るときは、土《つち》踏《ふ》まずの側面にかかとを引っかけるように刈ります！

体の向きが間違っている! NG

相手と正対したまま刈ろうとすると、自分の体が邪魔になって刈りきることができません！

CHECK! 上半身の崩《くず》し

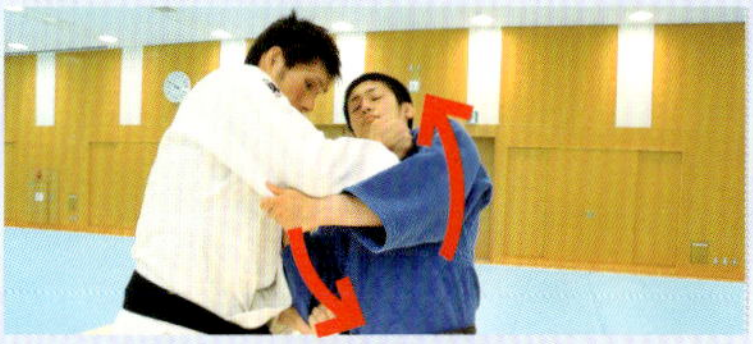

釣手は上に突き上げ、引手は真下に引き、相手をひねるように崩します。

DVD

3時間目

"刈る系"の投技

小外刈《こそとがり》

STEP 2

実際《じっさい》にチャレンジ！

Lesson ここが大切!

リズムの変化《へんか》でチャンスをつくる！

動きの中で小外刈のタイミングをつかむ練習です。瞬間的にスピードとリズムを変化させることで小外刈のタイミングを生み出します。カウントをとりながら行いましょう。

小外刈を仕掛ける直前に、相手より半歩《はんぽ》速く動くことがポイントです！

イチ、ニ、サン の「ニ、サン」を速くすること！

動きの中でタイミングをつかむ

1

右自然体で相四つに組んだ状態から。

2

取りが左足を1歩前に、受けが右足を1歩後ろに。

3

取りが左足を1歩後ろに、受けが右足を1歩前に。

4

受けが右足を引く瞬間、取りが半歩速く左足を踏み込む。

5

受けが右足を前に送る直前に、取りが右足を引きつける。

6

受けの右足が畳につく瞬間に、取りが左足で刈る。

歩足で後退

1 右相四つで組みながら、取りが左足から後退、受けが右足から前進。

2 受けが左足を出した瞬間、右足を相手より半歩大きく速く後方に下げる。

3 相手の右足が畳につく瞬間、タイミングよく左足でその足を刈る。

POINT! 右足を左足の延長線上に！

後《うしろ》さばき（P28）を利用。右足を下げるときは、左足の延長線上に下げます！

歩足で前進

1 右相四つで組みながら、取りは右足から歩足《あゆみあし》で前進。受けは左足から後退。

2 左足を踏《ふ》み込んだ瞬間、相手に圧力をかけ、受けは押し返そうとする。

3 受けが押し返そうと右足を出し、取りは右足を引きつけ90度の位置に。

4 取りは素早く反応し、相手の右足が畳につく瞬間、左足でそれを刈る。

DVD

3時間目

"刈る系"の投技

大内刈《おおうちがり》

STEP 1

大内刈《おおうちがり》は抱《だ》きしめて!

Lesson ここが大切!

相《あい》手《て》にもたれかかり、体重《たいじゅう》をかけてロック

大内刈の体の使い方は、相手にもたれかかり、相手の左かかとに体重がかかるようにして動けなくします。その左足を右足で半円《はんえん》を描くように刈り、後方に倒していきます。

まずは、相手に抱きつく体感練習で大内刈の動作感覚をつかみましょう!

まずは体感してみよう!

1
自然本体で相手と正対《せいたい》する。
2
右足を1歩前に踏み込む。
CHECK!
3
継足《つぎあし》で左足を引きつけ、相手の両肩に手をかける。
POINT!
4
抱きついて体重をかける。

CLOSE UP!

相手にもたれかかって、相手のかかと(とくに左かかと)に体重がかかるようにします。

CHECK!

三角形の頂点に踏み込む!

相手の両足を一辺とする三角形の頂点に右足を踏み込みます。

POINT!

ひざを曲げて踏み込む!

三角形の頂点に右足を１歩踏み込むときは、軽くひざを曲げて重心を落とします。ひざが伸びていると、重心が高くなり、相手に返されやすくなってしまうためです。また、左足は右のふくらはぎに左すねをつける感覚で、継足《つぎあし》で素早く引きつけます。

半円を描くように刈る!

もたれかかるような上体の崩《くず》しによって、相手の左かかとに体重がかかったら、右足で半円を描くように相手の左足を刈る。難《むずか》しい場合は、右斜《なな》め前に右足を大きく開いていく感覚で刈るとよい。

上半身の崩し方

相手と組んだ状態での上半身の使い方は、よく“弓矢を引くように”と言われるが、それは間違い。両手でハの字を描くように引き下げる。右足を踏み込んだ瞬間に釣手を軽く上げるとやりやすい。

DVD

3時間目

"刈る系"の投技

大内刈《おおうちがり》

STEP 2

実際《じっさい》にチャレンジ!

Lesson ここが大切!

動作《どうさ》のポイントを正確《せいかく》に行《おこな》うこと!

上半身と下半身の動作を理解したら、実際の大内刈に挑戦しましょう。静止状態での大内刈で技の感覚をつかみ、次に相手を押し込んで、動きの中での感覚を身につけます。

右足の踏《ふ》み込《こ》みが深くならないように注意。深すぎると十分に崩せません!

静止状態から

1 右の相四つで組んだ状態から。写真のように勢いをつけてもよい。

2 右足を相手の両足を一辺とする三角形の頂点に踏み込む。

移動しながら

1 右足から歩足《あゆみあし》で前進し、相手を押し込んでいく。

2 押し込んでいき、左足が前に出たときに、大内刈に入っていく。

3 右足を相手の両足を一辺とする三角形の頂点に踏み込む。

POINT!

継足を素早く行う!

移動しての大内刈のときも、左足の引きつけは素早く行うこと!

CHECK!

体の密着が甘い!

タイミングが合わず、右足の踏み込みが浅くなりすぎて体の密着が甘くならないように!

3 両手でハの字を描き、左足を継足《つぎあし》で素早く引きつける。

4 相手を崩しながら、右足で相手の左足を半円を描くように刈る。

5 受けは、しっかり後受身をとる。頭を打たないように注意。

4 両手でハの字を描き、左足を継足で素早く引きつける。

5 相手を崩しながら、右足で相手の左足を半円を描くように刈る。

6 受けは、しっかり後受身をとる。頭を打たないように注意。

こうちがり
小内刈

STEP 1

小《こ》内《うち》刈《がり》はアッパーカット！

Lesson ここが大切!

釣手《つりて》を突《つ》き上《あ》げて相手《あいて》を崩《くず》す！

小内刈は、ボクシングのアッパーカットのように釣手を突き上げ、引手を内側にしぼることで相手の右足に体重をかけさせます。その右足を内側から刈っていく技です。

小内刈も、相手の足をバナナの皮でスリップさせる感覚で刈ります！

体感練習

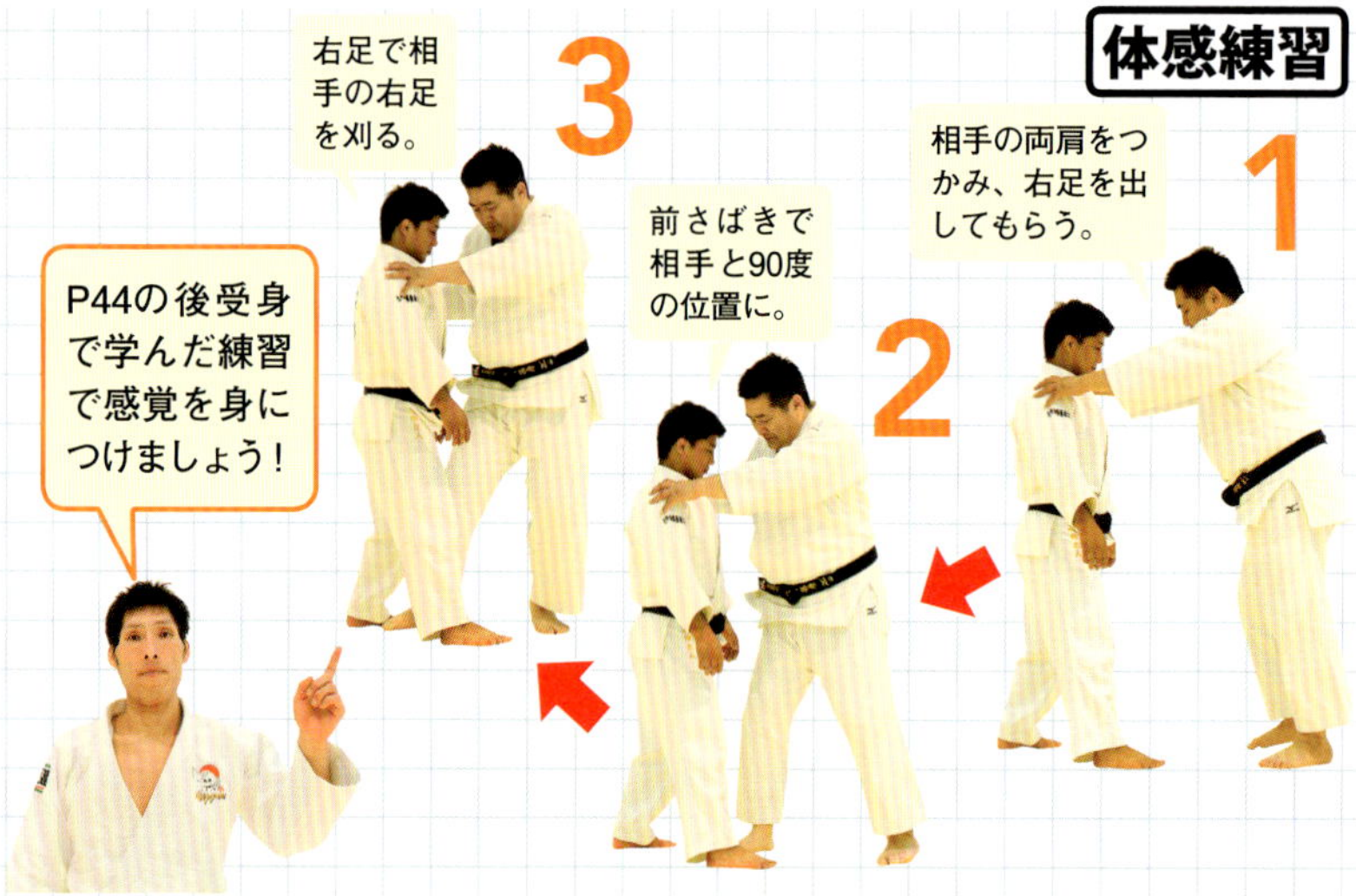
1
相手の両肩をつかみ、右足を出してもらう。
2
前さばきで相手と90度の位置に。
3
右足で相手の右足を刈る。
P44の後受身で学んだ練習で感覚を身につけましょう！

静止状態から

CHECK!

1 右組み相四つの状態から。写真のように勢いをつけてもよい。

2 右足を相手の両足の中間に当たる位置に踏み込む。

POINT!

継足は外側に向ける!

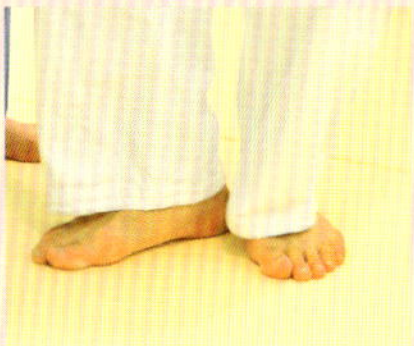

右足のかかとに左足を引きつけ、つま先は外側に向けます。すると、体が相手と90度の位置に。

CHECK!

両足の真ん中に踏み込む!

右足を踏み込むときは、相手の両足のちょうど真ん中に当たる位置に踏み込みます!

CLOSE UP!

相手のかかとを刈る!

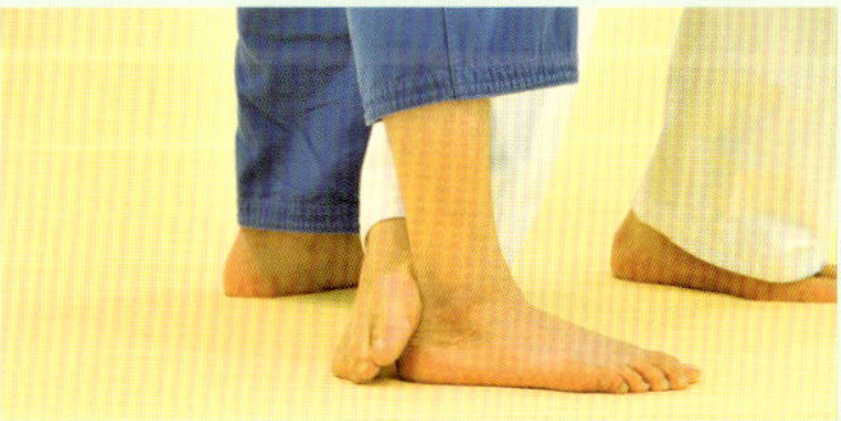

相手の右足は、内側から土《つち》踏《ふ》まずの側面でかかとを引っかけるようにして、つま先方向に向かって刈ります。

釣手はアッパーカット

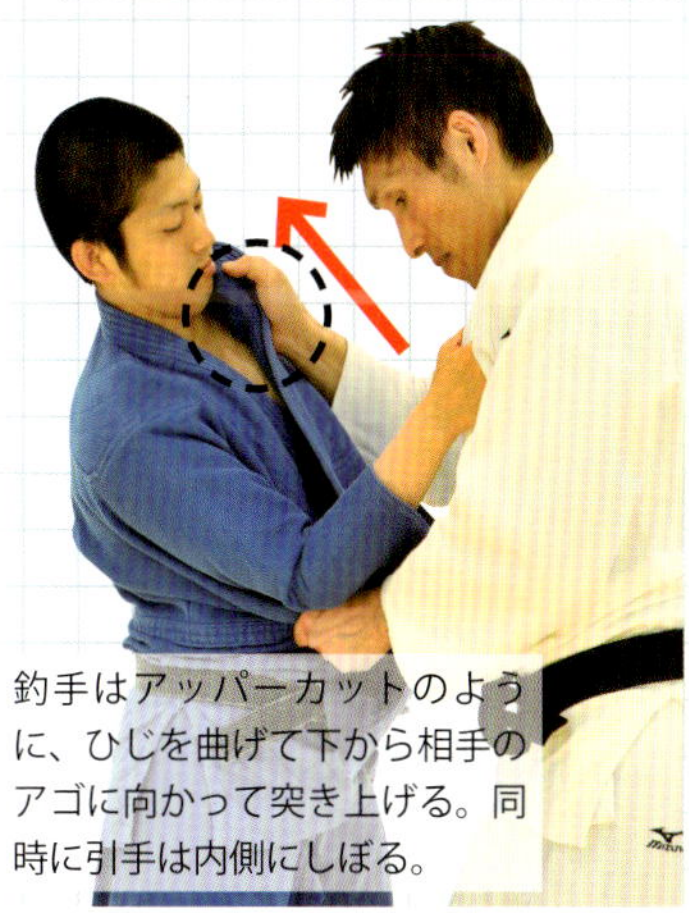

釣手はアッパーカットのように、ひじを曲げて下から相手のアゴに向かって突き上げる。同時に引手は内側にしぼる。

3 釣手を突き上げ、引手を内側にしぼる。左足を素早く引きつける。

4 上体の崩しを行いながら、右足で相手の右足を内側から刈る。

5 受けは後受身をしっかりとる。頭を打たないように注意。

DVD

3時間目

"刈る系"の投技

小内刈《こうちがり》

STEP 2

実際《じっさい》にチャレンジ！

Lesson ここが大切！

相手《あいて》の足《あし》が畳《たたみ》につく瞬間《しゅんかん》を狙《ねら》って刈《か》る！

静止状態の小内刈をマスターしたら、次は動きの中で技をかける感覚をつかんでいきます。相手と呼吸を合わせ、リズムを変えて相手の足が畳につく瞬間を刈ります。

相手より半歩《はんぽ》速く動く（とくに「ニ、サン」を素早くする）ことでリズムを崩します！

動きの中でタイミングをつかむ

1

自然本体で右の相四《あいよ》つに組んだ状態から。

2

左足を1歩下げて、相手に右足を1歩出させる。

3

左足を1歩前に出して、相手に右足を1歩下げさせる。

4

相手が右足を前に出すより半歩速く、右足をやや外に。

5

左足を右足の延長線上に下げ、体を90度開く。

6

相手の右足が畳につく瞬間に、その足を右足で刈る。

歩足で後退

1
右の相四つで組んで歩足で後退。右足を相手より半歩速く下げる。

2
左足を右足の延長線上に下げながら、体を90度開く。

3
相手の右足が畳につく瞬間、右足で相手の右足を刈る。

歩足で前進

1
右相四つで組んで、歩足で前進。左足を踏み込んだところで圧力をかける。

2
相手が右足を出して押し返してくる直前、右足をやや外に。

3
左足を右足の延長線上に素早く下げ、体を90度開く。

4
相手の右足が畳につく瞬間、右足で相手の右足を刈る。

CHECK!

右足が畳につく瞬間を刈る!

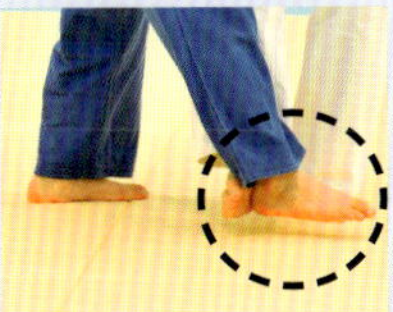

動きながら相手の右足が畳につく瞬間を見《み》極《きわ》め、素早く右足で刈ります。このとき、必ず体を90度開くこと！

実戦《じっせん》で使《つか》える“刈《か》る系《けい》”テクニック

Lesson ここが大切!

篠原流《しのはらりゅう》“刈《か》る系《けい》”の連携技《れんけいわざ》を伝授《でんじゅ》！

実戦では、ひとつの技でなく、いくつかの技を組み合わせて相手を投げます。そこで、有効《ゆうこう》な連携技をふたつ紹介します。まずは大内刈から大外刈につなぐテクニック。

私は、実戦の組手は左組みで、背が高いので釣手は奥襟《おくえり》を持つことが多いです。

大内刈から大外刈のコンビネーション

POINT!

釣手は手首で崩《くず》す！

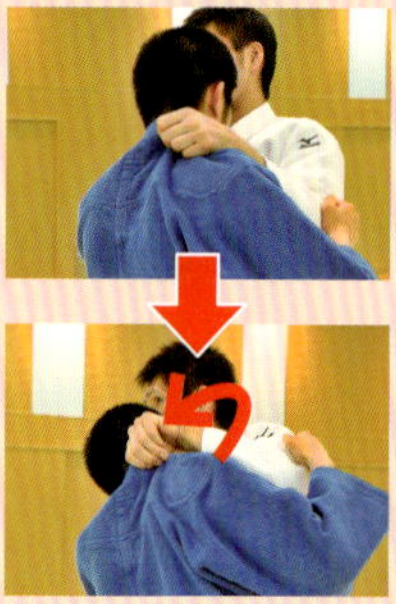

背が高い場合、釣手で奥襟を持ったときに、手首を内側に返すだけで相手を崩すことができます。大外刈のときは、この方法はとくに有効！

1

2

左組みで大内刈を仕掛けていく。

3

大内刈で相手の右足を刈っていく。

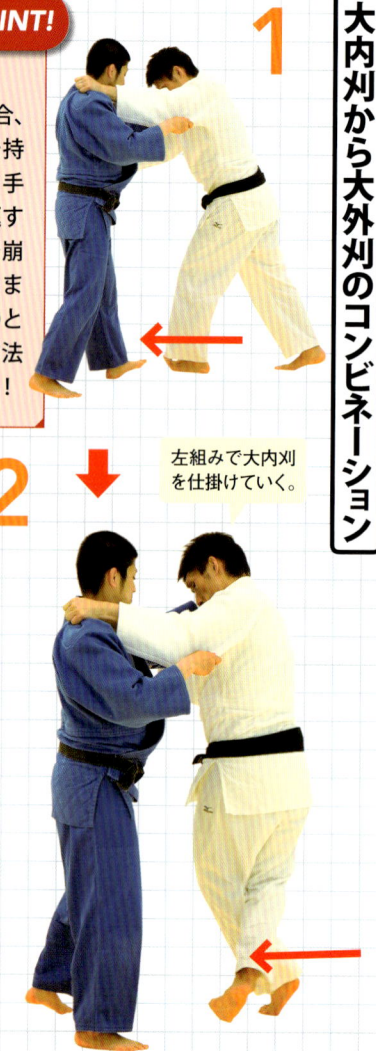

4
相手に右足を下げられ、かわされる。

5
相手が体勢を戻そうと左足を下げるのに合わせて、右足を大きく踏み込む。

POINT!

6
相手の重心がすでに左足にあるところをさらに崩す。

7
体の勢いを利用し、大外刈で投げる。

8

Lesson ここが大切!

相手《あいて》の動《うご》きに合《あ》わせ、大外刈《おおそとがり》を繰《く》り出《だ》す!

次は４時間目で解説する支《ささえ》釣込足《つりこみあし》（Ｐ１０７）から大外刈のコンビネーションです。相手が支釣込足をかわし、体勢を立て直そうとしたところを大外刈で刈っていきます。相手の動きに素早く反応し、技を合わせることが大切!

相手が体勢を立て直そうと戻した左足を狙います。相手の動きをよく見ましょう!

支釣込足から大外刈のコンビネーション

1
左組み。釣手は奥襟を持つ。
2
前さばきで右足を踏み込む。
3
支釣込足で投げようとする。
4
相手が右足をまたいでかわす。

5

相手が体勢を戻そうと左足を下げるのと同時に右足を大きく踏み込む。

6

相手の重心が左足にあるところをさらに崩す。

7

体の勢いを利用し、大外刈で投げる。

8

最後までしっかり刈りきること！

Shinichi Shinohara's Break Time

JUDO Column

篠原信一の休み時間

なぜ今、武道が求められるのか？

中学校で武道が必修化されるなど、今、武道というものがとくに注目されています。なぜ、今の時代に武道が必要とされるのでしょうか？ それは、やはり心の部分にあると思います。スポーツでは〝心《しん》・技《ぎ》・体《たい》〟が大切であるとよく言われますが、武道ではまず、心を強くするという〝心〟の面を重要視しています。礼をすることから始まり、苦しい稽古《けいこ》にも耐えられる強い心を育てることができるのが柔道です。そこから、生きていく上でいろいろな面に広がっていくという特性が、今の時代に求められたのではないでしょうか。私自身、もし柔道を学んでいなければ、今の自分はなかったと思います。普通の授業でもあいさつはすると思いますが、柔道を始めてから、知らない人と出会ったときも自然と「こんにちは」という言葉が出るようになりましたし、「ありがとうございます。失礼します」といったあいさつが恥《は》ずかしくなく言えるようになりました。こうした基本的なあいさつは、コミュニケーションの出発点ですから、柔道を通して身につけてもらえるとよいのではないでしょうか。

私がシドニー五輪の決勝で微妙な判定で敗れたとき、私は何も言いませんでした。なぜなら、負けたからには何かしらの理由があるからです。自分は絶対に勝つんだという心の部分が、あの試合の場面で出せなかったのだと自分では思います。そういう面で試合だけでなく、日ごろの生活から強い心を育ててくれるのが柔道であり、武道なんです。

4
時間目

“払《はら》う系《けい》”の投技《なげわざ》

ポイントは
タイミング！

講師
鈴木桂治
先生

イントロダクション

"払《はら》う系《けい》"の投技《なげわざ》って？

Lesson ここが大切!

タイミングよく相手《あいて》の足《あし》を払《はら》う！

4時間目は、"払う系"の投技を解説します。払う系の投技というのは、基本的に相手の足を払って投げる技のことです。相手の動きをよくみて、タイミングよく、バランスの崩《くず》れている足を払うことが共通のポイントになります。主に大技へのつなぎとして使われることが多い技ですが、柔道の技の幅《はば》を広げるためには必要不可欠です。正しい方法をしっかりと身につけておきましょう！

払う系の投技とは……

相手を見て、タイミングよく足を払う

まずは基本的な足の払い方を覚えましょう！
払うと同時に、払う足と同じ側の引手を真下に引き下ろす。
ほうきではくような感覚で内側に足の裏で払う。

基本的な払い方

払う系の投技3大ポイント

POINT 1 足の裏で払う

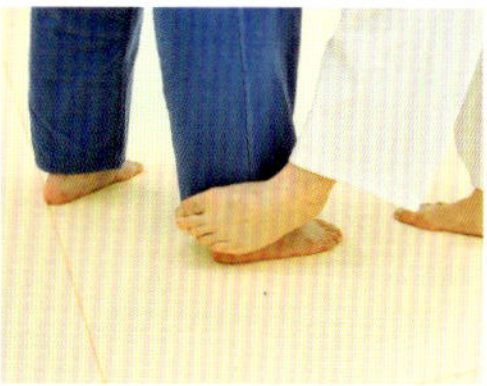

相手の足を払うときは、足の指先に力を入れ、足の裏を使って払っていきます。払う瞬間の正確な動作が大切です！

POINT 2 タイミング

相手が崩れていなければ、倒れることはありません。バランスを崩した瞬間を狙い、タイミングよく払います。

POINT 3 目線

払う前に足下《あしもと》ばかりを見ていると、相手に意図《いと》がばれてします。目線は相手全体に向け、動作を素早く察知《さっち》するように！

膝車《ひざぐるま》
→P102
出足払《であしばらい》
→P96
本章では4つの技を紹介
支釣込足《ささえつりこみあし》
→P106
送足払《おくりあしばらい》
→P100

出足払《であしばらい》

STEP 1

出《で》足《あし》払《ばらい》はだまし討《う》ち！

静止状態から

1 右の相四つで組んだ状態から。

2 左足を相手の右足の外側に踏み込む。

POINT!

左足前さばきで90度の位置に！

前さばきを利用し、左足から相手の右足の外側に踏み込んで、相手との位置を90度にします。こうすることで自分の体が邪魔にならず、大きく足を払うことができます。

Lesson
ここが大切！

相手《あいて》を誘《さそ》い込《こ》んで出《で》てくる足《あし》を払《はら》う！

出足払は、相手が前に出ようと踏み出した足を、畳につく瞬間を狙《ねら》って払う技です。前さばきを利用して、相手との位置を90度にし、タイミングよく払うことが大切！

相手を押し込んだときに押し返してきたり、前に出てくる瞬間がチャンスです！

3 右足を引きつけて、相手との位置を90度にする。

4 引手を真下に引き下げながら、左足で相手の右足を払う。

5 取りは引手を最後まで離さない。受けは横受身をとる。

CLOSE UP!

足裏でくるぶしの外側を払う!

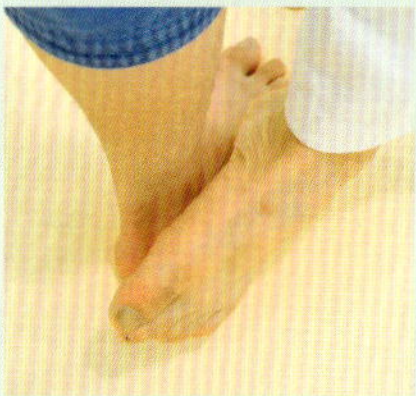

相手のくるぶしの外側を狙い、足の指先に力を入れながら、足の裏を当てて払います!

CHECK!

引手を真下に引き下げる

足を払うと同時に、引手を真下に引き下ろし、相手の重心が右足にかかるように崩します!

かかとを刈ると小外刈《こそとがり》

かかとに当てると小外刈（P76）という別の技になるので注意しましょう！

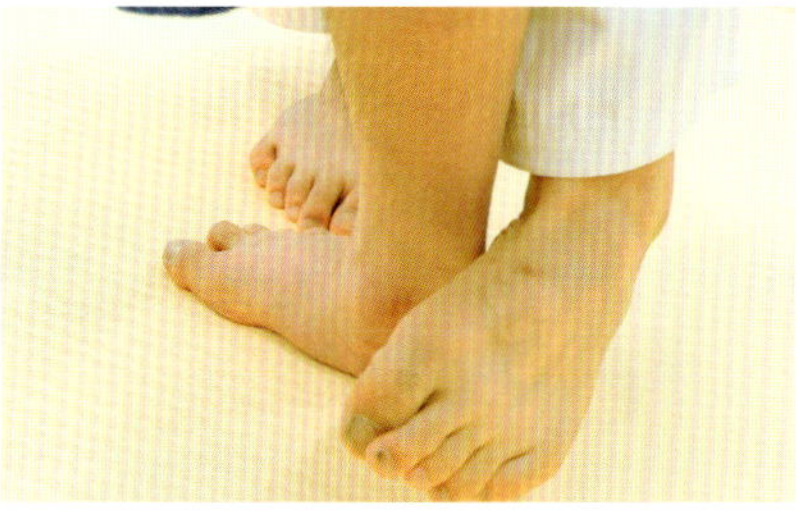

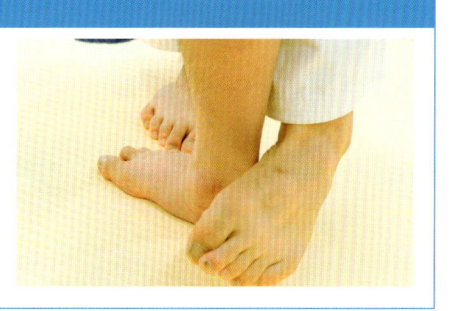

DVD

4時間目

"払う系"の投技

出足払《であしばらい》

STEP 2

実際《じっさい》にチャレンジ！

Lesson ここが大切!

相手《あいて》の足《あし》が畳《たたみ》につく瞬間《しゅんかん》を狙《ねら》って払《はら》う！

出足払は、動きながらのほうが技を掛けやすくなります。相手とリズムを合わせながら、技を掛ける直前に相手よりテンポを速《はや》めて、相手の足が畳につく瞬間を狙います。

前さばきや後さばきに入る瞬間に、スピードを速めることがポイントです！

イチ、ニ、サンの「ニ、サン」を素早く行うこと！

動きの中でタイミングをつかむ

1

右組みの相四つで組んだ状態から。

2

左足を前に出し、相手に右足を下げさせる。

3

左足を後ろに下げ、相手に右足を出させる。

4

再び左足を前に出し、相手の右足を下げさせる。

5

相手が右足を前に出そうとした瞬間に、右足を引きつける。

6

相手の右足が畳につく瞬間、その足を左足で払う。

歩足で前進

1
右の相四つで組みながら、右足から歩《あゆみ》足《あし》で前進。受けは左足から後退。

2
左足を出した瞬間に相手に圧力をかけ、相手が押し返そうとする。

3
相手が前に出ようと右足を出した瞬間に、右足を引きつけて前さばき。

4
相手の右足が畳につく瞬間、その足を左足で大きく払う。

歩足で後退

1
右の相四つで組みながら、左足から歩足で後退。受けは左足から前進。

2
右足後さばきを利用し、右足を左足の延長線上に大きく下げる。

3
相手の右足が畳につく瞬間、その足を左足で大きく払う。

CHECK!

腰を引かない!

払うときは、腰を引いてはいけません。体の軸をしっかり保《たも》ちながら払います！

STEP 3

送足払《おくりあしばらい》に応用《おうよう》できる！

Lesson ここが大切!

両足《りょうあし》を一緒《いっしょ》に払《はら》うと送足払《おくりあしばらい》という技《わざ》に！

出足払は相手の出た足を払いますが、相手のそろった両足ごと払うと送足払という技になります。サイドステップで横移動し、技を掛ける直前に半歩速く動くのがポイント。

相手と組んで横移動しますが、瞬間的にうまく歩調《ほちょう》を崩すことが重要です！

POINT! 1

両足がそろった瞬間を狙う！

相手と組んで横移動しながら、相手の両足がそろった瞬間を狙って払います。このとき、出足払と同様に相手の右足のくるぶし外側を足の裏で払っていきます！

送足払

1 右の相四つで組んだ状態から、取りが右足、受けが左足から横移動する。

2 取りが左足、受けが右足を引きつけ、歩調を合わせて移動する。

引手を真下に引き落とす!

払う瞬間に引手を真下に引いて崩します！

CHECK!

畳に手をつくのは危険! NG

受けは積極的に横受身をとること。倒れまいとして畳に手をつくと、ケガの危険があります！

POINT! 2 相手より半歩速く動く!

払う直前、相手より半歩速く大きく動いて歩調を崩し、相手の足が移動してくるのを待ちます。

CHECK!
POINT! 1

POINT! 2

5 最後まで引手を離さない。受けはしっかり横受身をとる。

4 引手を真下に引き落としながら、左足で相手の右足から両足を払う。

3 相手より半歩速く右足を踏み出し、相手の両足がそろう瞬間を狙う。

膝車《ひざぐるま》

STEP 1

膝車《ひざぐるま》は急《きゅう》ブレーキだ！

まず最初に、上体の使い方を体感する練習です。右の相四つで組んで、相手はひざ立ちの姿勢に。このとき、つま先は必ず寝かせること！

体感練習①

1 右の相四つ。受けはひざ立ちになり、つま先を寝かせる。取りは右足を相手の左ひざの外側に。

POINT!

釣手と引手は大きくハンドルを回すように動かす！

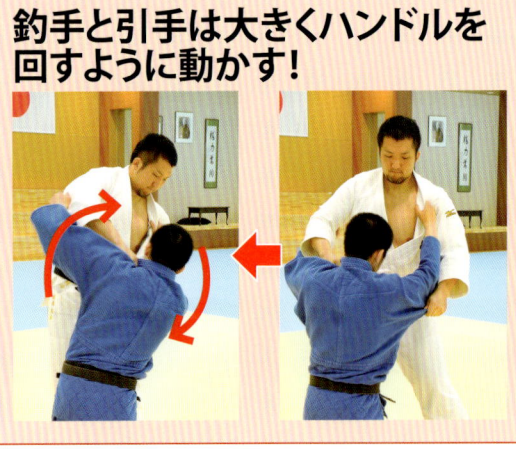

釣手と引手は、車のハンドルをイメージし、それを大きく左に回すような感覚で動かします。90度体を開く動きに連動させると、うまく投げられます！

Lesson ここが大切!

下半身《かはんしん》を止《と》めて、上半身《じょうはんしん》を振《ふ》り回《まわ》す！

膝車は、前に出ようとする相手のひざを足の裏で止め、つんのめった上半身を、大きくハンドルを回すように振り回して投げる技です。前さばきで体を90度開きながら、相手を前に引き寄せると、相手は右足を前に出して踏《ふ》ん張《ば》ろうとします。その足を止めて急ブレーキをかけると、相手は大きく体勢を崩《くず》します。この相手を止めることで体勢が崩れる"慣性《かんせい》の法則《ほうそく》"を利用することが最大のポイント！

2 左足を引きつけながら、体を90度開く。

3 釣手と引手で大きくハンドルを左に切るように振り回す。

4 相手は自分から積極的に受身をとる。取りは引手を離さない。

CHECK!

体は90度に開く!

正対したままでは、自分の体が邪魔《じゃま》になります。必ず体を90度開きましょう！

上の状況も実際は、右足を出せば踏ん張ることができます。そこで足の動きを下のように発《はっ》展《てん》させます。

体感練習②

1 右相四つ。受けはひざ立ちになり、つま先を寝かせる。

2 90度体を開いて投げながら、相手の右ひざを左足で止める。

3 受けは止められた右ひざを支点に回転。取りは引手を離さない。

DVD

4時間目

"払う系"の投技

膝車《ひざぐるま》

STEP 2

実際《じっさい》にチャレンジ!

静止状態から

1 右の相四つで組んだ状態から。双方とも自然本体で立つ。

2 右足を相手の左足の外側に踏み込む。

3 体を90度開きながら、左足を相手の右ひざに当てにいく。

Lesson

ここが大切!

ひざの位置《いち》に合《あ》わせ間合《まあ》いを調整《ちょうせい》する!

今度は実際に立った状態で膝車を掛けてみましょう。ひざ立ち姿勢より、相手のひざの位置が高くなった分、距離が遠くなるので、間合いを少し離すことがポイント!

間合いが近すぎると、足の裏にひざを当てられないので、少し距離をとること!

POINT!

慣性《かんせい》の法則《ほうそく》を利用するって?

相手を前に崩《くず》したとき、相手は右足を出せば踏《ふ》ん張《ば》ることができます。その出ようとする相手の右足を止めることで、相手の上体《じょうたい》は大きく崩れるのです。

出ようとする右足を止めると、相手は大きく崩れる。

前に崩しても、相手は右足を出せば倒れない。

4 左足を相手の右ひざに当て、ハンドルのように両手を左に回す。

5 相手の右ひざを支点に大きく回していく。

6 最後まで引手を離さない。受けはしっかりと受身をとる。

動きの中でタイミングをつかむ

1 右の相四つで組んだ状態。取りが左足、受けが右足を前後にテンポを合わせて動かす。

2 左足を前に出した瞬間、テンポを変化させて、膝車に入っていく。

3 素早く右足を相手の左足の外側に送り、体を90度開く。

4 両手を使って相手を前方に崩しながら、左足を相手の右ひざに当てて投げる。

ひざぐるま
膝車《ひざぐるま》

STEP 3

ポイントをずらせば支釣込足《ささえつりこみあし》

Lesson ここが大切!

ひざから足首《あしくび》に変化《へんか》すると、支釣込足《ささえつりこみあし》!

移動しながらの膝車を身につけた後は、次に応用技です。膝車は相手の右ひざに左足を当てましたが、それを右足首に当てると支釣込足という技に変化します。

移動しながらの膝車を練習してから、最後は応用として支釣込足に入ります!

歩足で前進

1

右足から歩足で前進する。

2

左足を出して相手に圧力をかける。

3

相手が押し返す瞬間、体を90度開く。

4

左足を相手の右ひざに当てる。

5

ハンドルを左に切るように投げる。

歩足で後退

1

左足から歩足で後退する。

2

左足を速く大きく下げる。

3

右足を外側に開いて90度の位置に。

4

同時に左足を相手の右ひざに当てる。

5

ハンドルを左に切るように投げる。

支釣込足とはどんな技？

支釣込足は膝車と違い、相手の右足首に左足を当てて投げていきます。左足を当てる位置が足首なので距離が近くなり、その分膝車よりも間合いを詰《つ》める必要があります。右足を踏み込むときに、釣手と引手を釣り上げて、相手を手前に引きつけます。相手の胸と自分の胸を密着させるようなイメージで行うと、適切《てきせつ》な間合いで投げることができます。

右足を踏み込んだときに、両手を釣り上げ、相手と密着。

相手の右足首に当てるため、膝車よりも間合いを近くする。

支釣込足

1
右自然体の相四つで組んだ状態から。
2
右足を踏み込みながら、両手を釣り上げる。
3
90度体を開きながら、左足を相手の右足首に。
4
ハンドルを左に切るように両手を回して投げる。
5
最後まで引手を離さない。

実戦《じっせん》で使《つか》える"払《はら》う系《けい》"テクニック

Lesson ここが大切!

相手《あいて》の動《うご》きを利用《りよう》し、チャンスをつくる!

実戦では相手の力を利用することが大切。相手が押し込まれるのを嫌《いや》がったり、崩《くず》された体勢を戻そうとした瞬間がチャンス。相手の動きをよく見ましょう!

僕も試合でよく使う、払う系のテクニックを３つほど紹介します！

僕の場合、実戦の組手は左組みです。今回は、左対右のケンカ四《よ》つで組んだときのテクニックを解説していきます！

コーナーに押し込んで出足払

1
左対右のケンカ四つで組んだ状態から。

2
相手をコーナーに押し込んでいく。

3
コーナーに押し込まれると、相手は場外に出たくないと踏ん張る。

4
相手が押し込みを嫌がり、押し返そうとする。

5
前に出ようとする相手の右足を狙って、出足払を掛ける。

6
最後まで釣手を離さず、しっかり極《き》めにいく。

小内刈から出足払

左対右のケンカ四つの状態から。

フェイントとして左足で小内刈を仕掛ける。

小さい相手に有効な膝車

小さい相手と左対右のケンカ四つ。上から真下に圧力をかける。

相手が圧力を嫌がり、上に突き上げて押し返してくる。

相手の重心が左足に。自分の左足はそのまま素早く戻す。
重心が軽い相手の右足を狙って、連続で素早く出足払に。
左の釣手側に相手を倒す。

相手の突き上げる力を利用し、体を開いて膝車に。
両手でハンドルを左に切るように大きく回す。
鈴木
国士大教
左の釣手側に相手を倒す。

JUDO Column

Keiji Suzuki's Break Time

鈴木桂治の休み時間

柔道に教えられた 仲間との絆《きずな》の大切さ

柔道は個人競技ですが、仲間との深い絆《きずな》を得るには、これ以上にない競技だと思っています。勝ったときは苦しい稽古《けいこ》を重ねた分だけ、仲間と一緒に大きな喜びを分かち合えます。また、僕自身も試合で負けることは少ないほうではないのですが、負けたときに、いろんな言葉をかけてもらったり、言葉はなくても一緒にご飯を食べるだけでも相手の気持ちは伝わってきたりします。そういうときに、いつも応援してくれている仲間のありがたさを実感しますね。

アテネ五輪のとき、僕は柔道の最終日に出番を迎えたんですが、当日の朝、道場に足を運んだら前日に試合を終えた井上康生《いのうえこうせい》先輩や、内柴先輩といった全員が柔道衣を着て待っていてくれました。当時、全日本の監督でいらした斉藤先生をはじめ、代表チームのみんなが「いつでもサポートの準備はできている」と声をかけてくれたんです。柔道は個人競技ですが、ひとつのチームで戦っていることを、そのとき強く実感しましたし、そういう先輩方の気持ちはすごくうれしかったです。そのことを試合にこじつけることはしませんが、そのサポートがあったらこそ気持ちの部分で強くなれましたし、金メダルにつながったと思います。

僕は柔道を通して、いろいろな仲間ができましたし、応援してくれるたくさんの方々にも出会いました。人間はひとりでは生きていけません。多くの支えがあるからこそ、生きていけるのだということを僕は柔道に教わったんです。

5
時間目

“回転系《かいてんけい》”の投技《なげわざ》

繰り返し
練習しよう！

講師
内柴正人
先生

イントロダクション

〝回《かい》転《てん》系《けい》〟の投《なげ》技《わざ》って?

回転系の投技とは……

相手の前で体を回す!

回転系の投技は、投げる直前に相手を大きく崩して、素早くコンパクトに体を回すことが大切。ひとつひとつの動作を丁寧《ていねい》に行いましょう!

Lesson
ここが大切!

大《おお》きく崩《くず》して小《ちい》さく回《まわ》る!

5時間目は、〝回転系〟の投技です。回転系の投技というのは、相手の前で、体を回して投げる技。本章で紹介する5つの技は、すべて自分の体を回して投げます。それぞれ技の名前は違いますが、相手を背負《せお》うポイント、踏《ふ》み込《こ》みの位置などによって、変化したものです。全般的《ぜんぱんてき》なポイントは、相手を大きく崩《くず》して、コンパクトに体を回すこと。体の軸《じく》を崩さないようにすることが大切です。

回転系の投技3大ポイント

POINT 1 コンパクトな足さばき

素早く足を運んで、一瞬で投げる体勢をつくることが大切。効率的《こうりつてき》な体さばきを心がけましょう！

POINT 2 ぶれない回転軸

素早く体を回すには、体の軸を安定させることが重要です。ムダな動きのないスムーズな回転を行うようにしましょう！

POINT 3 相手を大きく崩す

投げる直前は、バンザイをするように、相手を前方に大きく崩します。相手との間にできたスペースで体を回すのです！

本章では5つの技を紹介

釣込腰《つりこみごし》
→P122

背負投《せおいなげ》
→P116

体落《たいおとし》
→P134

払腰《はらいごし》
→P126

大腰《おおごし》
→P130

背負投《せおいなげ》

STEP 1

おんぶでわかる背負投《せおいなげ》

体感練習

1 左手で相手の左袖口《そでぐち》、右手で右袖口を持ち、左手を上にしてクロスする。

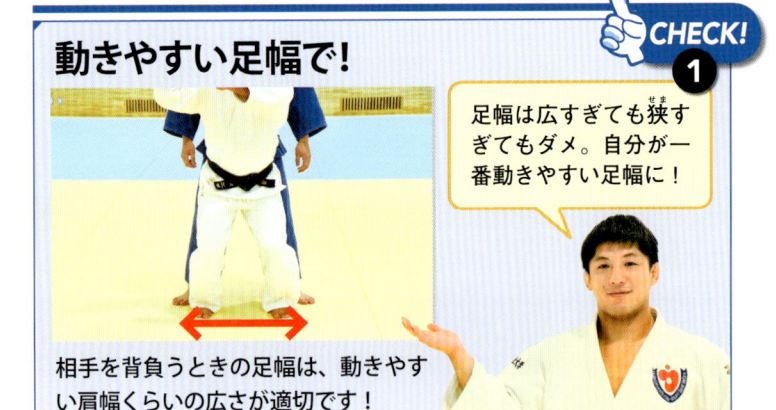

相手を背中にかつぐ背負投は、おんぶする感覚に似ています！

CHECK! 1

動きやすい足幅で！

相手を背負うときの足幅は、動きやすい肩幅くらいの広さが適切です！

足幅は広すぎても狭《せま》すぎてもダメ。自分が一番動きやすい足幅に！

Lesson ここが大切！

おんぶをして、背負《せお》う感覚《かんかく》をつかむ

背負投は、体を180度反転させて相手に背中を向け、その状態から相手を背中にかついで投げる技です。まずは、前回りさばき（P29）を使って体を回し、相手を背中にかつぐ感覚を、おんぶの姿勢を利用して体感してみましょう。下半身の使い方、体の軸をつくってコンパクトに回る方法、上半身の崩しなど、ひとつひとつの動作を確認しながら、相手を背負う感覚がどういうものかを体感すること！

CHECK! 2
POINT!
内柴
CHECK! 1

2 相手の両手をバンザイさせながら、右足を１歩踏み込む。

3 右足を軸に体を180度回転させ、左足を引きつける。

4 両手でバンザイしながら、相手を背中にかついで持ち上げる。

CHECK! 2

ベストな腰の高さは？

垂直跳びで腰を落とすときの高さがベスト！

体を回した後、相手を背中に背負いますが、このとき、ひざを軽く曲げて腰を落とします。腰の高さは、垂直跳《すいちょくと》びを行うとき、力をためるために低い姿勢をとりますが、その位置がベストな高さです。

POINT!

体の軸《じく》がぶれないことが重要！

体を回転させるときは、右足を軸にコンパクトに回転します。右足から頭まで１本のラインが入っている感覚で、その軸がぶれないようにキープして回ります。体を曲げたり、左右にぶれないこと！

実際《じっ》《さ》《い》にチャレンジ！

静止状態から

1 右の相四つで組んだ状態から。自然本体に構える。

2 右足を１歩踏み込みながら、両手で相手を上に釣上げる。

Lesson ここが大切！

相手《あいて》を大《おお》きく崩《くず》して ふところに潜《もぐ》り込《こ》む

次に静止状態から実際の背負投を練習します。体感練習との違いは、両手でしっかり相四《あいよ》つに組んでいること。この場合、右ひじを折《お》りたたんで相手の脇《わき》の下に当てます。

体の使い方は体感練習とほぼ一緒。相手をかついだら、上体を前に曲げるだけ！

POINT! 1

ひじを折りたたむ！

体感練習のときと違い、右の相四つで組んだ状態で体を回すと、右の釣手が相手にぶつかって邪魔《じゃま》になってしまいます。そこで、右ひじを内側に折りたたみ、相手の右脇の下に当てるように行うと、スムーズに体が回ります。

3 ひざを曲げながら、相手のふところに入り、体を180度反転させる。

4 相手を背中にかつぎ、ひざを伸ばしながら、上体を前に倒す。

5 受けは前回り受身をとる。取りは最後まで引手を離さない。

POINT! 2 ひざを連動《れんどう》させる!

体を回して相手のふところに潜り込む瞬間は、ひざを曲げ腰を落とします。相手を背負い、上体を前に倒して投げる瞬間はひざを伸ばしていきます。動作に合わせてひざの連動をうまく利用しましょう!

CHECK! 1 入る直前にバンザイ

右足を踏み込むとき、両手でバンザイをするように、相手を前方に大きく崩します。ふところに空間をつくることが重要。

CHECK! 2 相手を背中にかつぐ

腰を落として反転したら、相手をしっかり背中に背負います。これが左右にずれたり、不十分な姿勢だと技が崩れてしまいます。

移《い》動《どう》しながら背負投《せおいなげ》

Lesson
ここが大切!

相手《あいて》の動《うご》きに合《あ》わせ、背負投《せおいなげ》に入《はい》る!

基本の投げ方を覚えたら、動きの中で背負投に入る練習をしましょう。相手の体が浮いた瞬間や、下がりながら後回りさばきで背負投に入るタイミングをつかんでいきます。

相手と呼吸を合わせながら、動きに応じた背負投に入る感覚をつかみましょう!

動きの中でタイミングをつかむ

1

右の相四《あいよ》つに組んで、自然本《しぜんほん》体《たい》に構える。

2

相手と一緒に腰を落としながら、両手で下方に押す。

3

ひざを伸ばしながら、両手で相手を上に釣り上げる。

4

再び腰を落として、下方に圧力を加える。

5

相手が伸び上がる瞬間、両手で釣り上げ、右足を踏み込む。

6

右足を軸に素早く体を回して、相手を背中に背負う。

左足後回りさばきで投げる

1 右の相四つで組んだ状態から、取りが右足から後退、受けが左足から前進。

2 両手で相手を釣り上げながら、左足を右足の延長線上に大きく１歩下げる。

3 体を１８０度反転させ、右足を引きつけながら、相手を背中に背負う。

4 体を前傾《ぜんけい》させながら、ひざを伸ばし、体の勢いを利用して背負投で投げる。

実戦的な応用

1 右の相四つで組んだ状態から、取りが左足から後退、受けが右足から前進。

2 右足を大きく後ろに下げ、その足を軸に回転に入っていく。

3 右足を軸に体を１８０度反転させながら、左足を大きく右足のほうに回し込む。

4 腰を落としながら相手を背負い、体を前傾させて背負投で投げていく。

STEP 1

腰《こし》に乗《の》せると釣込腰《つりこみごし》

静止状態から

1 右自然体で相四つに組んだ状態。写真のように勢いをつけてもよい。

2 両手でバンザイする感覚で上に釣り上げながら、右足を1歩踏み込む。

Lesson
ここが大切!

相手《あいて》を腰《こし》に乗《の》せ、釣手《つりて》を立《た》てる!

背負投は相手を背中にかつぎましたが、釣込腰は相手を腰に乗せて投げる技です。また、釣手は折りたたまず、ひじを曲げて上に釣り上げるイメージで使うことがポイント。

背負投との大きな違いは、相手を腰に乗せること。いろいろな技に応用されます!

POINT! 1

きちんと腰に乗せる!

釣込腰は、自分の腰に相手の前《まえ》腰《ごし》をしっかり乗せることが大切。相手の腰が横に流れたりしないようしっかり乗せましょう!

CHECK! 1

釣手を立てる!

相手を腰に乗せる釣込腰の場合は、釣手のひじを曲げ、右ひじを相手の脇に当てながら立てます。

5 受けは前回り受身をとる。取りは最後まで引手を離さない。

4 相手を腰に乗せ、釣手と引手を下方に引き落とすようにして投げる。

3 釣手を立てながら、右足を軸に180度反転する。同時に左足を引きつける。

腰に乗ってない！ NG

左写真のように、相手のお腹から胸の部分が腰に乗った状態だと、相手の上体が曲がってしまい、投げることができません。相手の前《まえ》腰《ごし》を正しく乗せること！

CHECK! 2 受けは体をまっすぐに！

テコの原理を利用して、きれいに投げるためには、受けも体をまっすぐにして、お腹を突きだす感覚で技を受けることがこと必要です。

POINT! 2 テコの原理を利用する

釣込腰は、腰を支点、両手を力点として、"テコの原理"を利用して、投げていきます。この原理をイメージして練習することも大切！

STEP 2

実際《じっさい》にチャレンジ！

Lesson ここが大切！

動《うご》きの中《なか》で釣込腰《つりこみごし》に入《はい》る感覚《かんかく》をつかむ！

静止状態で釣込腰の練習をしたら、次に動きの中での技のタイミングをつかんでいきます。背負投のときと同様に、上下の動きや、後ろに下がりながらの練習を行います。

投げに入った後のポイントは、静止状態と同じ。基本の形を崩さないように！

動きの中でタイミングをつかむ

1

右相四つで組んだ状態。腰を落として下方に圧力を加える。

2

両手でバンザイをしながら、ひざを伸ばして釣り上げる。

3

再び腰を落として、相手に下方への圧力を加える。

4

相手が伸び上がる瞬間、バンザイしながら右足を踏み込む。

5

右足を軸に、体を180度回転させる。両手は釣り上げる。

6

相手をしっかり腰に乗せ、釣込腰の体勢に。

左足後回りさばきで投げる

1 右の相四つ。取りが右足から後退。受けが左足から前進する。▼

2 左足を右足の延長線上に大きく１歩下げながら、両手を釣り上げる。▼

3 体を１８０度反転させながら、右足を引きつけ、釣込腰の体勢に。▼

4 テコの原理を利用し、腰を支点に相手を投げる。受けは体をまっすぐに。

実戦的な応用

1 右の相四つ。取りが右足から後退。受けが左足から前進する。▼

2 右足を軸に体を１８０度反転させながら、左足を右足のほうへ大きく回し込む。▼

3 両手で相手を釣り上げながら反転し、釣込腰の体勢に。▼

4 テコの原理を利用し、腰を支点に相手を投げる。受けは体をまっすぐに。

払腰《はらいごし》

STEP 1

入《はい》りが浅《あさ》けりゃ払腰《はらいごし》!

Lesson ここが大切!

腰《こし》のずれを利用《りよう》し、相手《あいて》の足《あし》を払《はら》う!

払腰は、右足の踏《ふ》み込《こ》みが釣込腰よりも浅くなり、その分間合《まあ》いが広くなります。腰を乗せるポイントも浅くなり、この腰のずれを利用するために、相手の足を払うのです。

払腰と釣込腰の違いは、腰が浅くなり、ずれ落ちるところを足で払うことだけ!

POINT! 1

釣込腰より浅く踏み込む!

腰に乗せるポイントも浅くなるため、足を払って補《おぎな》う。

腰が浅い分、足を払う

右足の踏み込みが浅いと、間合いが広くなる。

スペースがある

静止状態から
CHECK!
POINT! 1

1 右の相四つで組んだ状態。自然本体に構える。

2 両手でバンザイをしながら相手を釣り上げ、右足を浅く踏み込む。

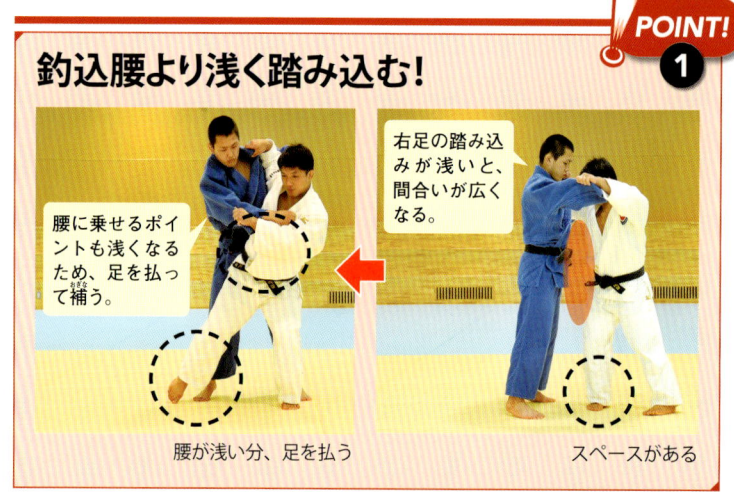

3 右足を軸に反転。釣り上げながら相手に胸と腰を密着させる。

POINT! 2

相手の右足を斜めに払う!

相手の右足を右足で払いますが、このとき、ふくらはぎを相手のスネに当てながら、斜めに払うイメージで行いましょう!

CHECK!

胸《むね》と腰《こし》を相手に密着!

体を回したとき、相手の下腹部と自分の腰、相手の右胸と自分の右胸が密着するように、相手を釣り上げて引きつけます。

4 相手を腰に乗せ、腰を支点に相手を下方に投げる。

5 相手を投げながら、右足で相手の右足を斜めに払う。

6 受けは前回り受身をとる。取りは最後まで引手を離さない。

実際《じっさい》にチャレンジ！

Lesson ここが大切!

足《あし》のさばき方《かた》に注意《ちゅうい》しながら行《おこな》う！

次に、動きの中で技のタイミングをつかむ練習です。払腰はとくに、片足で立って相手の足を払う技であるため、動きの中での右足のさばき方に注意が必要です。

実戦的な応用では、回転軸となる右足を素早く切り替《か》えて足を払いにいきます！

動きの中でタイミングをつかむ

1

右相四つで組んだ状態。腰を落として下方に圧力を加える。

2

ひざを伸ばして、相手を上に釣り上げる。

3

再び腰を落として、下方に圧力を加える。

4

相手が伸び上がる瞬間、右足を踏み込みながらバンザイ。

5

右足を軸に反転し、左足を引きつける。

6

相手に密着しながら、腰を支点に払腰で投げる体勢に。

実戦的な応用

1 右の相四つ。取りが右足から後退。受けが左足から前進する。

2 右足を軸に反転しながら、左足を大きく右足のほうに回し込む。

3 両手で釣り上げながら、軸足を切り替えて、右足で相手の足を払いにいく。

4 腰を支点に相手を投げながら、右足で相手の右足を斜めに払う。

左足後回りさばきで投げる

1 右の相四つ。取りが右足から後退。受けが左足から前進する。

2 技に入る直前、左足を右足の延長線上に大きく1歩下げる。

3 左足を軸に反転しながら相手を腰に乗せ、払腰の体勢に。

4 腰を支点に相手を投げながら、右足で相手の右足を斜めに払う。

大腰《おおごし》

STEP 1

右《みぎ》手《て》が違《ちが》うぞ大腰《おおごし》!

静止状態から

1 右の相四つで組んだ状態。自然本体に構える。

2 右足を1歩踏み込みながら、両手で相手を釣り上げる。

3 右手(釣手)を相手の襟からはずし、背中に回す。

POINT!

釣手をはずして背中に回す!

釣込腰との大きな違いとなる釣手の使い方。右足を踏み込むと同時に、釣手を相手の襟《えり》からはずし、背中に回します。このとき、相手の体との間にすき間ができないよう、深く手を回しましょう!

釣手は素早く襟からはずし、背中に回すこと!

Lesson ここが大切!

釣《つり》手《て》の使《つか》い方《かた》が釣込腰《つりこみごし》と違《ちが》う!

大腰は、基本的に釣込腰とほぼ同じように入りますが、釣手の使い方だけが異《こと》なります。右足を踏み込みながら、釣手を襟《えり》からはずし、背中に回して投げていきます。

大腰は、釣手を背中に回して、体を密着させながら腰を支点に投げます!

4 体を反転させながら、相手をしっかり抱き寄せ、左足を引きつける。

5 腰を支点にし、上体を前傾《ぜんけい》させて相手を投げる。

6 受けは前回り受身をとる。取りは最後まで引手を離《はな》さない。

上体がつんのめる！ NG

相手への密着が甘いと、上体がつんのめった形になってしまいます。

補足 帯をつかむと釣腰《つりごし》に！

背中に回した釣手で、相手の帯を持つと釣腰という別の技に！

CHECK! しっかり体を密着させる

釣手を背中に回し、体を180度反転させて、相手の下腹部を腰に乗せます。このとき、自分の胸から腰にかけて、しっかり相手の体を密着させることが重要です。この部分にすき間があると、体の力がうまく作用《さよう》せず、投げることができません。体の軸をまっすぐに保《たも》ち、効率的《こうりつてき》に体の力を使っていきましょう！

Lesson
ここが大切!

間《ま》合《あ》いに注意《ちゅうい》し、タイミングよく反転《はんてん》

歩足《あゆみあし》で後退《こうたい》しながらの大腰は、釣手を背中に回しやすい距離感を保《たも》ちながら、右足を軸にタイミングよく反転することが大切。体を密着させることも忘れずに行いましょう。

右足を軸にして、左足を素早く右足のほうに大きく回し込むことがポイント!

歩足で後退

1 右の相四つで組んだ状態。取りが左足から後退。受けが右足から歩足で前進する。

2 右足を下げたところで、テンポを速めて相手のリズムを崩し、大腰の体勢に入っていく。

5 反転しながら相手の下腹部を腰に乗せ、体を密着させにいく。受けは前方に崩れる。

6 腰を支点に、体を前傾させて相手を大腰で投げていく。受けは体をまっすぐキープする。

POINT!

実戦ではケンカ四つが多い

基本練習では、右の相四つで組みましたが、実戦での大腰はケンカ四つのときに使うことがほとんど。相四つで組むと、釣手をはずしたときに、相手の引手にコントロールされ、技に入りにくいためです。双方が襟を持つケンカ四つのほうが、大腰に入りやすいのです。

3 右手（釣手）を襟からはずして背中に回す。同時に左足を大きく回し込む。

4 右足を軸に体を180度反転させながら、左足を右足のほうに回し込む。

7 背中に回した釣手で相手を下方に導きながら、さらに体を前傾させていく。

8 取りは最後まで引手を離さない。受けはしっかりと前回り受身をとる。

DVD

5時間目

"回転系"の投技

体落《たいおとし》

STEP 1

ステップが命《いのち》の体落《たいおとし》！

Lesson ここが大切!

3つのステップをスピーディに！

体落は、前に出ようとする相手の足を自分の足でストップさせながら手の作用《さよう》で投げる技。ポイントは、右足を横にスライドさせるまでの足さばきを素早く行うことです。

払腰と同様に浅く踏み込みます。相手と密着せずに間隔《かんかく》をあけて反転すること！

POINT! 1

ステップを素早く！

右足を相手の前に浅く踏み込む。

右ふくらはぎに左すねをつけるように送る。

左足を軸に右足を真横に素早くスライド。

静止状態から

POINT! 2

1 右の相四つで組んだ状態。自然本体に構える。

2 下方に圧力を加えながら、右足を相手の前に浅く1歩踏み込む。

3 相手を釣り上げ、体を反転させながら、左足を引きつける。

CHECK!

下半身の使い方に注意!

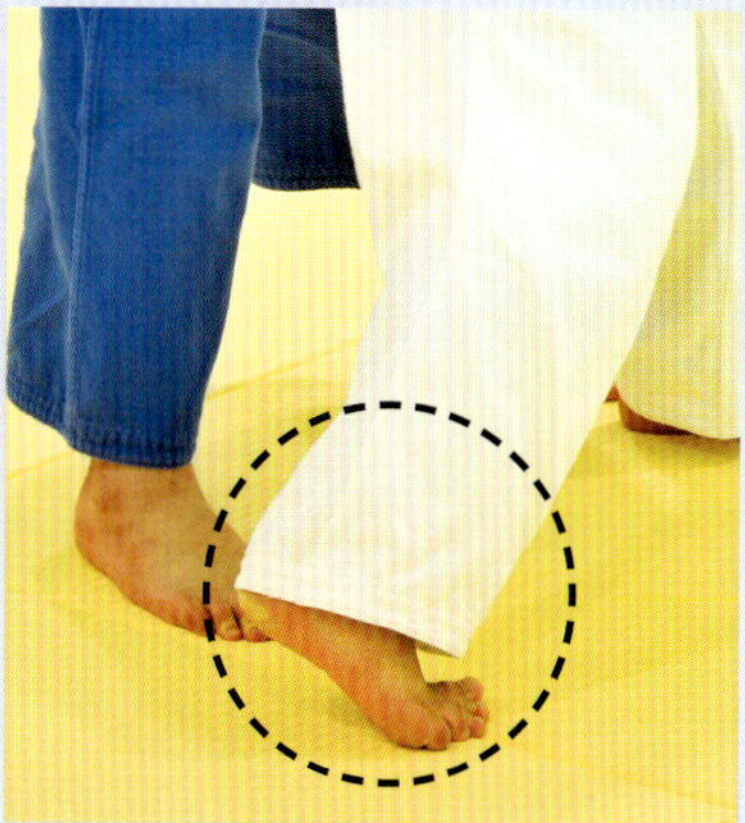

3ステップ目で、右足を真横にスライドさせます。このとき、つま先は体の内側に向けます。これが外側を向いていたりすると、相手の体重がもろにひざや足首にかかりケガをしてしまいます。また、斜《なな》め後ろにスライドさせてもダメ。右足が後ろに流れると、せっかく前に崩《くず》れた相手の体勢が戻ってしまうためです。

POINT! 2

バレーボール1個分の間隔

体落は相手と密着せずに、下方へと引き落とします。体の間隔は、バレーボール1個分あけることをイメージするとよいでしょう。その空間で体を回します。

4 反転しながら、左足を軸に右足を真横にスライドさせる。

5 右のつま先を内側に向け、相手を前方に崩《くず》していく。

6 両手を使って真下に相手を引き落とす。最後まで引手は離さない。

STEP 2

実《じっ》際《さい》にチャレンジ！

Lesson
ここが大切!

動《うご》きの中《なか》でもステップを素《す》早《ばや》く！

次に動きの中でタイミングをつかむ練習です。相手の重心が浮いた瞬間や、相手が前に出ようとするところを狙って体落に入ります。スムーズなステップを心がけましょう！

動いている中で、いかに右足を素早くスライドさせるかが、体落のポイント！

動きの中でタイミングをつかむ

1

右の相四つで組んだ状態。自然本体で構える。

2

右足を1歩前に出し、腰を落として下方に圧力を加える。

3

相手が伸び上がった瞬間、反転しながら左足を引きつける。

4

相手を釣り上げながら、右足を真横にスライドさせる。

5

両手を使って、相手を一気に下方に引き落とす。

6

受けは前回り受身をとる。取りは最後まで引手を離さない。

歩足《あゆみあし》で後退しながら体落

1
右の相四つで組んだ状態。取りが左足から後退。受けが右足から前進する。

2
右足を下げたところで、テンポを速めて相手のリズムを崩す。

3
左足を右足の延長線上に大きく1歩下げる。同時に相手を釣り上げる。

4
左足を軸に体を反転させ、右足を真横にスライドさせる。

5
前に崩れた相手を右足で止めながら、両手を使って相手を上から下へ。

6
釣手で相手を下方に引き落とす。引手は最後まで離さない。

右の写真のように、相手を無理に巻き込むような形で投げるのはNGです！

相手を巻き込む形はダメ! NG

実《じっ》戦《せん》で使《つか》える“回《かい》転《てん》系《けい》”テクニック

Lesson ここが大切!

内柴先生《うちしばせんせい》が実戦《じっせん》で使《つか》っている有効《ゆうこう》技《わざ》!

回転系の技に入るときに、有効なテクニックを3つほど紹介します。組《くみ》手《て》争《あらそ》いを有利にする方法や、重心移動、技で相手を崩す方法など、実戦で役立つ技術を厳《げん》選《せん》しました。

僕の場合、実戦では左（釣手が左）で組んでいますので、左組みで解説していきます！

組手を有利にする方法

1 相手と距離をとる

実戦で技に入るとき、相手は引手を突っ張り、釣手で引きつけようとします。この状況では技に入れませんので、釣手と引手を10cmほど内側に入れて突っ張り、距離をとります。

2 柔道衣をずらす

距離をとると、相手はさらに引手を突っ張ろうとします。そこで自分の釣手を180度内側に回します。そこから元の位置に戻すと、相手が持っていた柔道衣が内側にずれていきます。

3 相手の引手を切る

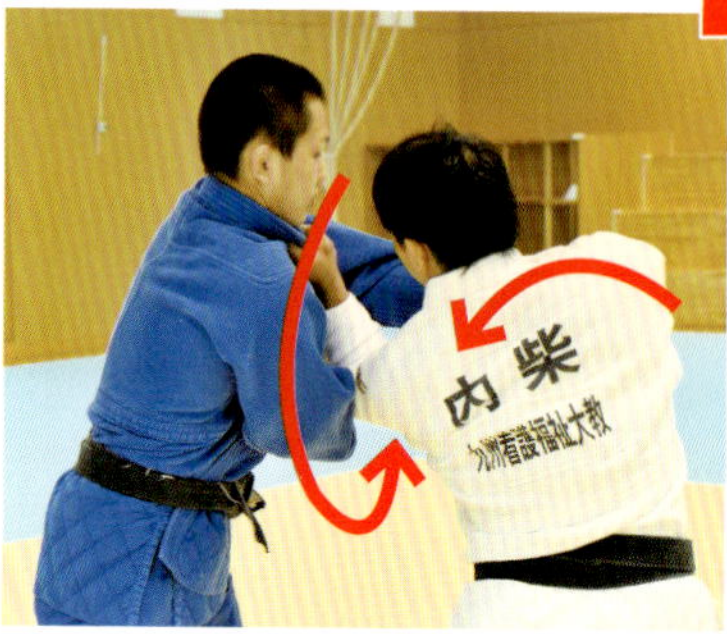

柔道衣を内側にずらした状態で、相手が引手に力を入れた瞬間、釣手のひじを内側に鋭く入れると、相手の引手を袖から離すことができます。持ち直してきても同様に切ります。

4 引手を外側に切る

相手がさらに、引手を持ち直そうとしてきたら、今度は外側に鋭くひじを開いて引手を切ります。この引手を切るという技術だけで、自分が技をかける回数が増えます。また、相手に攻撃の機会を与えないという利点《りてん》があり、試合を優《ゆう》位《い》に進めることができます。

5 一瞬、沈み込む！

組手を優位にしても、そのまま技に入ってしまうと、再び相手に引きつけられてしまいます。そこで、技に入りやすくするために、一瞬、腰を落とした姿勢で沈み込みます。釣手と引手も体重をかけて、下方に圧力を加えます。技に入る直前、瞬間的に行います。

6 釣手と引手を開く！

腰を落として沈み込んだ姿勢から、今度は相手を上に釣り上げると同時に、バンザイをするようなイメージで、釣手と引手を大きく開きます。こうすることで、相手の引きつけを防ぎ、技に入るための間合いやタイミングを効果的につくることができるのです！

7 開いてから技に入る

釣手と引手を大きく開いたら、最後に技の体勢に入ります。この技術は、背負投なら開いてからひじを折りたたむ、払腰なら開いてから釣手を立てるというように、基本的に様々な回転系の技に対応しています。有効な技術なので、しっかり覚えましょう！

重心移動のテクニック

1 左右にひざを動かす

実戦では、僕は常に左右にひざを動かして、重心を移動させていました。均等《きんとう》に重心を置かず、どちらかの足に重心を分けます。一見、不安定に見えますが、瞬間的に重心をずらし、相手に的《まと》をしぼらせないようにしていました。

2 重心をずらす！

たとえば背負投に入る場合、右足に重心をかけた状態で、１歩目の左足を踏み込みます。これは、両足に重心があると、１歩目の足が重くなり、素早く踏み込むことができないためです。重心の軽い足のほうが素早く前に出せるのです。

3 重心を移動させる

踏み込んだ瞬間に、重心を軸足である左足に移動させます。今度は左足を軸に体を反転させるため、右に重心を置いたままだと、素早く回ることができません。一瞬のうちに左右の重心を入れ替えて技に入っていきます。

4 コンパクトに回転

さらに、重心を左足に戻す勢いを利用すると、体を回転させるときも素早くスムーズに回ることができます。このように、重心移動を活用すれば、実戦での様々な局面に役立てることができます。レベルアップの参考にしましょう！

ひとつの崩しで連絡する技

1 小外刈《こそとがり》で崩《くず》す!

ひとつの技では、一本をとるのがなかなか難しいという人にオススメの技術。ふたつの技を効果的につないで、一本をとりにいきます。例として、小外刈を仕掛けてから背負投につなぐ連絡技を紹介します。まずは小外刈を掛《か》けます。

2 相手がこらえる

左足で小外刈を仕掛けたところ、相手は後方にバランスを崩しながらも、こらえることができました。そこに追い打ちをかけるように、前進しながら腰を落として下方に圧力を加えていきます。すると、相手は体勢を戻そうとします。

3 相手の力を利用する

相手が後方に崩れた体勢を戻すには、前に出るしかありません。そこで、相手が前に出ようとする瞬間に、両手で相手を釣り上げ、最初に解説した釣手と引手を開く方法を使います。相手の力を利用して、背負投《せおいなげ》に入っていきます。

4 素早く回転する!

相手は自ら前に出ようしていたため、すでに前方に崩れる形になります。後は自然な流れで素早く体を回せば、背負投で一本をとることができます。このように、ひとつの崩しで技をつないでいく技術も、実戦ではかなり有効です!

Masato Uchishiba's Break Time

JUDO Column

内柴正人の休み時間

弱い自分に打ち勝つ勇気を！

僕はアテネ五輪と北京五輪というふたつの大会で金メダルを獲得《かくとく》することができました。でも実際は、子どもの頃から五輪を夢見てきて、いよいよ手が届きそうだというところで、僕はいつも失敗していたんです。シドニー五輪のときも野村忠宏《のむらただひろ》先輩を追いかけていたんですが、負けてしまったり、減量に苦しんだり、それまでは勝った記憶より負けた記憶のほうが多かったんです。そういう悔《くや》しい思いをした過去の自分や、熊本県にいる家族のために絶対五輪に行くんだという強い気持ちで臨《のぞ》んだのが、アテネ五輪です。正直に言えば、このときの金メダルは「あれ、こんなに簡単に勝っていいの？」という感じでした。世界選手権の代表からもれたり、五輪に出場するまでの道のりが苦しすぎたんです（笑）。そして、2回目の北京五輪で勝ったときは、「もうヤダ」と思いました（笑）。それぐらい柔道に打ち込んだんです。そのときは30才で体力も衰《おとろ》えてきましたし、力をつけてきた若い世代を抑《おさ》えながら、目の前のライバルたちと戦わなければいけませんでした。そんな状況で1度達成した目標に挑むわけですから、精神的にもつらかったんです。

追いつめられた状況で勝つには、戦う理由が必要です。その理由が強いほうが勝つのだと思います。僕はすごく弱いし、怖《こわ》がりで体力でも劣《おと》ることがたくさんあります。でも、そういう弱い自分から勇気を出して1歩踏み出すこと。それが柔道では勝敗以上に一番大切なことだと思います。

6
時間目

固技《かためわざ》が楽《たの》しくなる練習法《れんしゅうほう》

技の幅を
広げよう！

講師
田中 力
先生

イントロダクション

固技《かためわざ》のコツをつかもう！

固技とは……

寝た状態で相手を制《せい》する技

抑《おさ》え込みの条件は、相手を仰向《あおむ》けにする、おおむね向かい合っている、相手の束縛《そくばく》を受けていない、という３つです！

Lesson ここが大切!

固技《かためわざ》をマスターして柔道《じゅうどう》の幅《はば》を広《ひろ》げる！

６時間目は固技をレクチャーします。固技とは、寝た状態で攻防を展開する技のことです。投技が不十分で一本にならなかった場合でも、固技をしっかり身につけておけば、寝た状態からすかさず挽《ばん》回《かい》して一本にすることができます。この章では、固技の基本的な形や、楽しく練習できる攻防ゲームを紹介していきます。地道な努力を重ねて固技をマスターし、柔道の幅を広げましょう！

固技の2大ポイント

POINT 1 肩と頭を抑える!

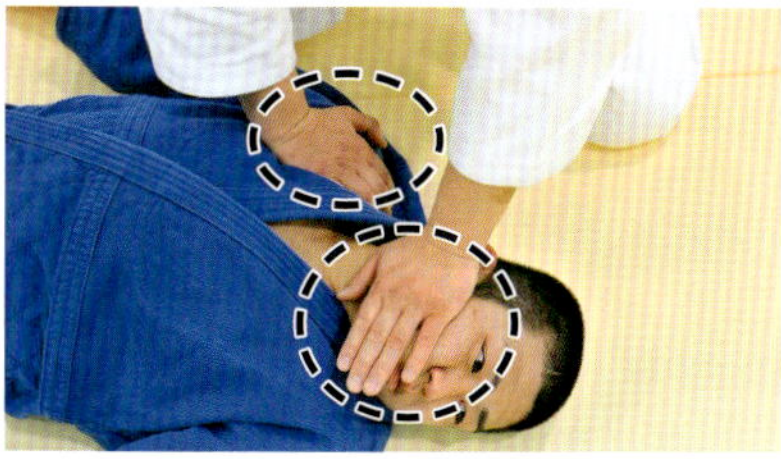

原理としては、頭と肩を同時に抑えることが理想です。上の写真のように、右肩を抑えながら、頭を左に向けて抑えると、相手の上体は完全に動かなくなります。

POINT 2 斜《なな》め上から相手を抑える!

相手の体を立方体の箱と考えます。箱をつぶすには真上からより、斜め上から角をつぶすように圧力を加えたほうが簡単です。固技も同様に斜め上から抑えます！

上《かみ》四《し》方《ほう》固《がため》

→P148

袈《け》裟《さ》固《がため》

→P146

本章では5つの基本技を紹介

横《よこ》四《し》方《ほう》固《がため》

→P150

縦《たて》四《し》方《ほう》固《がため》

→P154

肩《かた》固《がため》

→P152

袈《け》裟《さ》固《がため》とは？

Lesson ここが大切!

相手《あいて》の体《からだ》を対角《たいかく》線上《せんじょう》に抑《おさ》える!

僧侶《そうりょ》が肩から斜めに羽《は》織《お》る布を〝袈《け》裟《さ》〟といいます。つまり、袈裟とは体の対角線を意味し、袈裟固は相手の体を対角線上に抑えます。右腕で相手の首を抱《かか》え、左脇《わき》に右腕を挟《はさ》みます。両足でバランスをとりながら相手の右脇に自分の腰を密着させ、胸を張って右の体側《たいそく》（体の横面）で相手の上体を制します。

袈裟固

左脇に相手の右腕を挟み、軽く胸を張る。
右腕で相手の頭を抱え込み、相手の柔道衣をつかむ。
相手の右脇に自分の腰を密着させ、右の体側で上体を制する。
両ひざは立てずに90度に曲げ、右足を前、左足を後ろにして開く。

CHECK!

崩《くずれ》袈裟固を覚えよう!

基本形が変化した崩袈裟固も覚えましょう。右手を自分のひざに置く方法、体を相手の足側に向ける方法などがあります。

相手の頭を抱えた右手を自分のひざに置いてロックする。

体を足側に向け、右脇に相手の右腕を挟み、左手を体の下から通して下ばきをつかむ。

POINT!

間違った方法に注意！

陥《おちい》りやすい間違った方法に注意しましょう。両足の前後を逆にしたり、足を伸ばしたり、そろえたりすると、バランスが崩《くず》れて、相手に返されてしまいます。また、相手の頭を過《か》度《ど》にしめつけたりすると、大変危険なので、絶対にやめましょう！

NG

左右の足の前後が逆！

相手の頭をしめすぎる！

両足が伸びている！

両足がそろっている！

基本的な3つの逃げ方

逃げ方①

1 体を動かしてつかまれた右手をゆるめる。

2 体を回転させ、相手の腰にお腹を密着。

3 相手の体を抱え、斜め上方に横転する。

逃げ方②

1 体を動かしてつかまれた右手をゆるめる。

2 体を回転させ、相手の腰にお腹を密着。

3 両足を相手の左足に絡める。

逃げ方③

1 体を動かしてつかまれた右手をゆるめる。

2 左手で相手の背中を押し、右手を抜く。

3 体を回転させながら、一気にうつ伏せに。

基本《きほん》の形《かたち》

上《かみ》四《し》方《ほう》固《がため》とは？

Lesson ここが大切!

相手《あいて》の体《からだ》を上方《じょうほう》から抑《おさ》え込《こ》む！

上四方固は、名前の通り、相手の頭（上）のほうから抑え込む技です。両手を相手の肩の下から入れて、相手の横帯《よこおび》をつかみます。このとき、脇をしっかりしめて胸を張るようにし、自分の胸を相手の鎖骨《さこつ》に当てる感覚で制《せい》します。両脚《あし》は開いてつま先を立てるか、ひざを曲げて立てる方法の2通りがあります。

上四方固

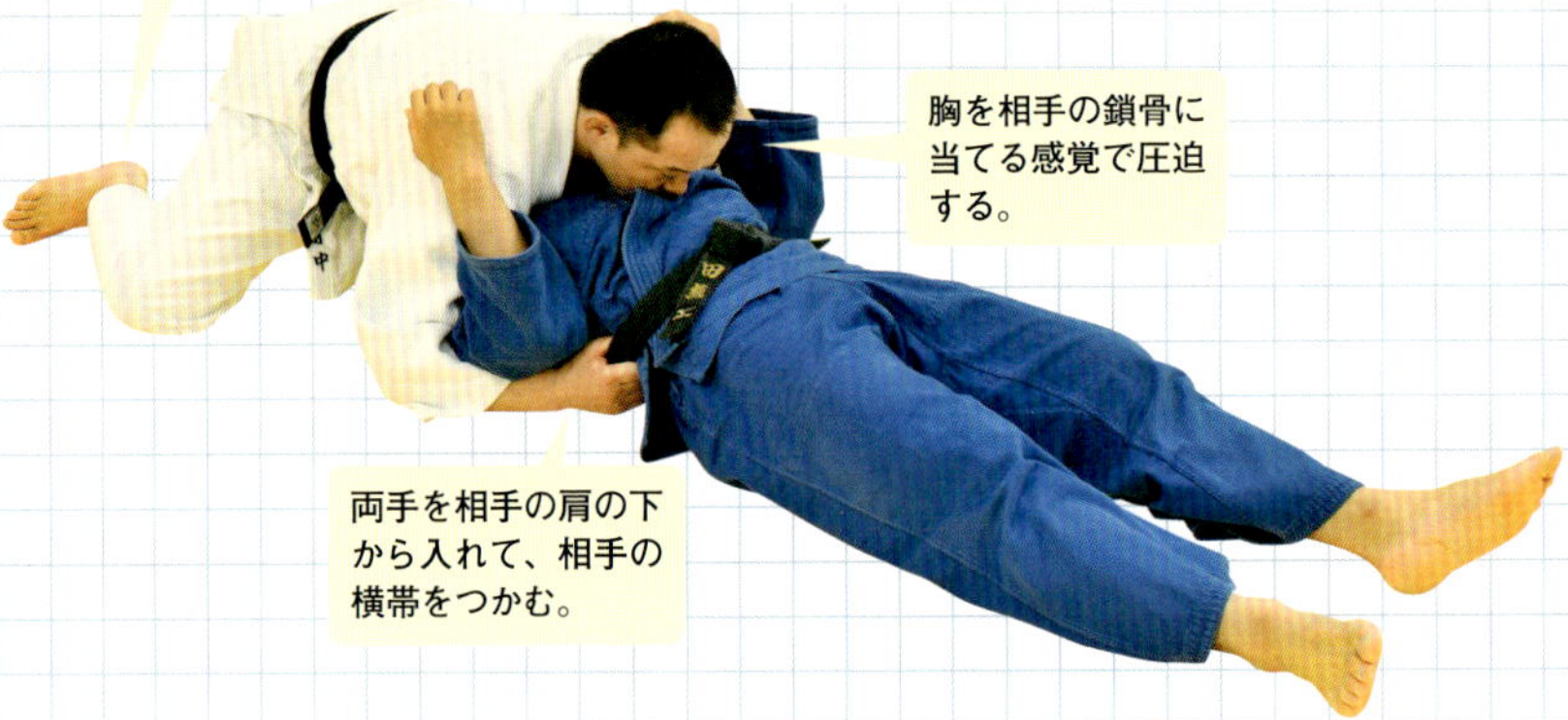
両足の形は開いて両ひざを立てるか、伸ばしてつま先を立てる。
両脇をしっかりしめ、胸を張るように制する。
胸を相手の鎖骨に当てる感覚で圧迫する。
両手を相手の肩の下から入れて、相手の横帯をつかむ。

CHECK!

崩《くずれ》上四方固も覚えよう!

基本形から変化した崩上四方固。右腕を相手の肩ではなく脇の下から入れて横帯をつかみます。

POINT!

足の形は2種類!

両足は基本的に開きます。上の写真のように、ひざを伸ばしてつま先を立てる形もあります。

POINT!

間違った方法に注意!

上四方固はポイントがずれると、うまく抑え込むことができません。相手の上に深く乗りすぎたり、相手の腕を制していなかったり、両足を閉じた状態で行うと、バランスが崩れて、相手に返されてしまいます。基本の形をしっかり身につけておきましょう!

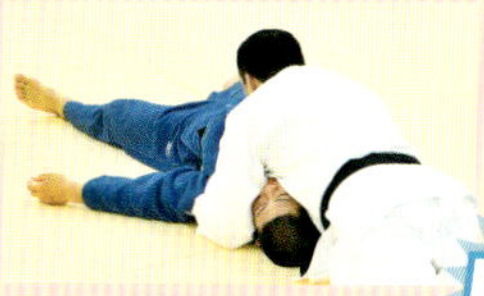
相手の腕を制していない!

NG

相手に深く乗りすぎる!

両足が閉じている!

固技はポイントがひとつでもずれると、効果がないのです!

基本的な2つの逃げ方

逃げ方①

1 両手を相手の両肩に当てる。突き放しながら逆エビ（P157）を利用。

2 相手の肩を押しながら、逆エビの動作で体をひねる。

3 肩を押す力と体の反動を利用して、少しずつ体を抜いていく。

4 抜け出すと同時に、素早く体を回転させ、うつ伏せに。

逃げ方②

1 相手の両肩に手を当て、体をひねりながら突き放していく。

2 逆エビの動作を利用し、体をひねりながら少しずつ抜け出していく。

3 両手を相手の胴に回し、体の反動を利用して一気に横転させる。

横《よこ》四《し》方《ほう》固《がため》とは？

Lesson ここが大切!

相手《あいて》の横側《よこがわ》から上体《じょうたい》を抑《おさ》える！

横四方固は、相手の横側から首と上体を制《せい》する技。右手は相手の首の下に差し込み、頭を抱え込むようにして右襟《えり》をつかみます。左手は相手の下ばきを持って下半身を制します。左ひざを相手の腰に密着させ、右足は伸ばしてつま先を立てながらバランスをとります。斜《なな》め上から胸を当てて相手に圧力を加えます。

横四方固

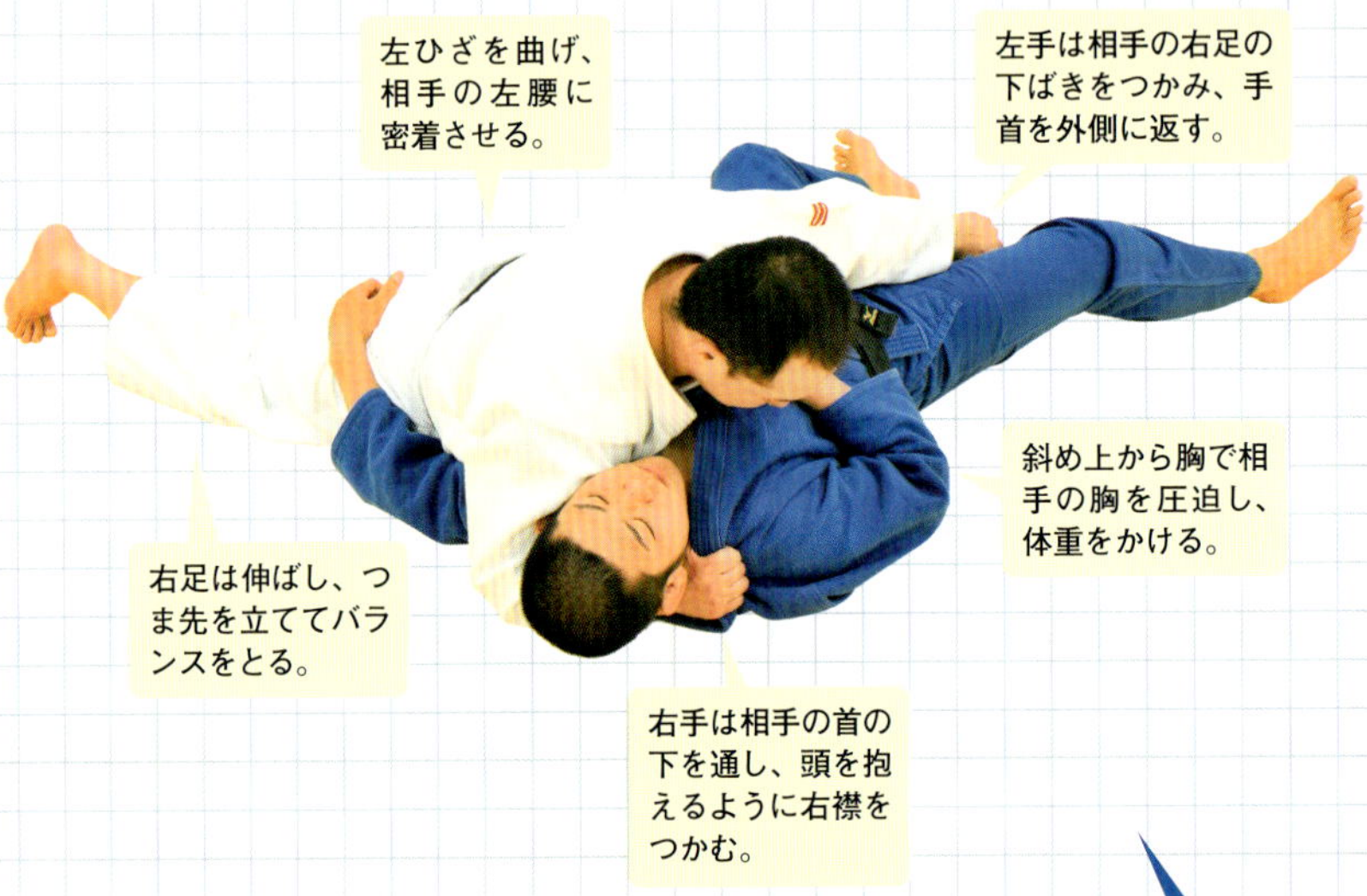
左ひざを曲げ、相手の左腰に密着させる。
左手は相手の右足の下ばきをつかみ、手首を外側に返す。
斜め上から胸で相手の胸を圧迫し、体重をかける。
右足は伸ばし、つま先を立ててバランスをとる。
右手は相手の首の下を通し、頭を抱えるように右襟をつかむ。

POINT!

もう1つの抑え方も覚えよう!

相手の肩越《かたご》しに右手を回し、相手の帯をつかむという、基本形から変化した方法もあります。

CHECK!

左ひざを相手に密着させる!

左ひざを曲げ、相手の左腰に密着させます。相手を固定し、逃げられないようにするためです。

POINT!

間違った方法に注意！

横四方固によく見られる誤《あやま》りに要注意。まず、左ひざを相手の腰に密着させていないミス。これでは相手に動かれてしまい、形が安定しません。また、相手の上に深く乗りすぎることも、バランスを崩す原因。正しい形で行いましょう！

左ひざが密着していない！　相手の上に深く乗りすぎ！

基本的な2つの逃げ方

逃げ方①

1 右手で相手の右肩を押し、すき間をつくって左腕を抜きにかかる。

2 相手を押しながら体を回し、右手で相手の帯をとりにいく。

3 相手の帯を引っ張りながら、体を一気に回転させる。

4 そのまま相手をひっくり返し、体勢を逆転させる。

逃げ方②

1 エビ（P156）の動作を利用し、取りのほうに体を動かす。

2 エビの動作で腰をずらし、下半身を自由にする。

3 右足で相手の左足をたぐり寄せ、両足をそれに絡める。

肩固《かたがため》とは？

Lesson ここが大切!

相手《あいて》の首《くび》と肩《かた》を同時《どうじ》に抑《おさ》える！

肩固は、相手の肩と頭を抱《かか》え込み、首と肩を同時に抑える技です。まず、自分の右肩を密着させながら、相手の右肩と頭をひとつにまとめて抱え込みます。すき間があかないように、右手と左手をがっちりロックし、右ひざを曲げて相手の腰に密着させます。左足は大きく開いてつま先を立て、体重をかけます。

肩固

相手の右肩と頭をひとつにまとめ、右腕で抱え込む。
左足は大きく開いてつま先立ち。バランスをとると同時に、体重をかける。
右ひざを曲げ、相手の右腰に密着させる。
すき間があかないように相手と密着し、右手と左手をロックする。

POINT!

肩をしっかり極《き》める！

相手の首と肩を抑えるには、自分の肩、相手の頭と肩が一直線上になるように形をつくります！

CHECK!

右ひざを相手に密着させる！

相手の動きを抑えるために、必ず右ひざは相手の右腰に密着させておきましょう！

POINT!

間違った方法に注意！

肩固は首と肩の抑え方を間違いやすい技。たとえば、自分の肩と、相手の頭と肩が一直線上に並んでいない状態。これではすき間ができて相手に逃げられてしまいます。また、相手の首をしめすぎてしまうことも危険ですので、絶対にやめましょう！

相手の首をしめすぎ！

すき間ができている！

基本的な逃げ方

1 相手に肩固を極《き》められている状態。このままでは、相手の技から逃れることはできない。

2 頭の上で両手を合わせ、がっちりロックする。ここから右ひじを相手の首に当てていく。

3 右ひじで相手を押してすき間をつくり、少しずつ体をひねって体勢を変えていく。

4 相手を右ひじで押しながら、一瞬のスキをつき、体を反転させてうつ伏せになる。

基本《きほん》の形《かたち》

縦《た》《て》四《し》方《ほう》固《がため》とは？

Lesson
ここが大切!

馬乗《うまの》りになって上体《じょうたい》を抑《おさ》える！

縦四方固は、肩固の体勢から馬乗りになり、両足で相手を挟《はさ》んで抑える技です。まず、上体は肩固と同じ形で極《き》めます。そして、両足で相手の胴《どう》を挟みながら、自分の足、もしくは相手の足に絡《から》ませてロックします。相手の体の上に完全に乗った状態となるため、ポイントを正確に抑えないと不安定になります。

縦四方固

両足は自分の足か、相手の足に絡めてロックする。
相手に馬乗りになり、両足で胴を挟み込む。
上半身は、肩固と同様の形で、首と肩を極める。

CHECK!

足の極め方

相手の胴を挟み込んだ両足は、相手の足に絡めるか（左上写真）、自分の足に絡めて（左下写真）、相手の下半身を制します。しっかり極めましょう！

CHECK!

上体の極め方

上体は肩固と同様に、自分の肩と、相手の頭と肩が一直線上になるようしっかり抱え込みます。

POINT!

間違った方法に注意！

縦四方固は、相手の上に完全に乗ってしまうため、バランスが重要です。相手の上部に乗り上げすぎたり、両足を閉じて相手の足を野放《のばな》しにしておくと、バランスが悪く、相手に返されてしまいます。十分に注意すること！

上のほうに乗り上げすぎ！

相手の足をロックしていない！

基本的な2つの逃げ方

逃げ方①

1 相手に縦四方固を極められている状態。このままでは相手の技から逃れることはできない。

2 まずは、制《せい》されている足を抜きにかかる。そのために、まず左手を相手の右ひざに当てる。

3 左手で相手の右ひざを押し、下半身のロックをゆるめながら、左足を外側に抜いていく。

4 左足を外側に抜いたら、すかさず相手の右足をとり、両足を素早く絡める。

逃げ方②

1 両手をがっちり組み、右ひじで相手の首を押しながらすき間をつくる。

2 右ひじで相手の首を押しながら、体を回転させる。

3 回転の勢いで相手をひっくり返し、体勢を逆転させる。

固技《かためわざ》に強《つよ》くなる補助運動《ほじょうんどう》!

Lesson ここが大切!

固技《かためわざ》に必要《ひつよう》な動作《どうさ》をマスター

寝た状態で攻防を展開する固技では、身を反《そ》らしたり、体を抜いたりといった様々な補助運動が必要となります。固技に強くなるためには、このような動作は欠かせません。補助運動を身につけるための練習を行いましょう。

地道な努力が大切です!

カメ

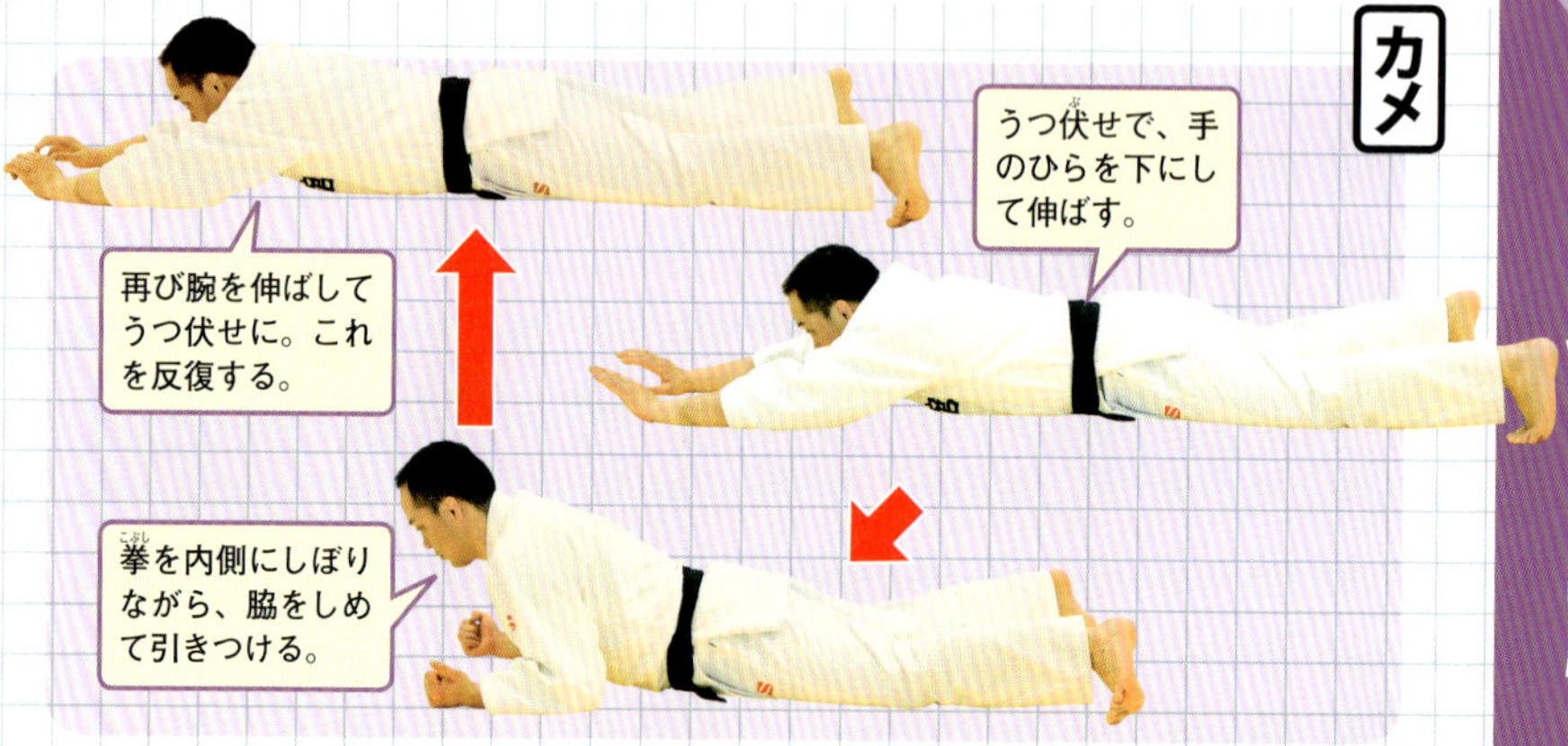
うつ伏《ぶ》せで、手のひらを下にして伸ばす。
拳《こぶし》を内側にしぼりながら、脇をしめて引きつける。
再び腕を伸ばしてうつ伏せに。これを反復する。

エビ

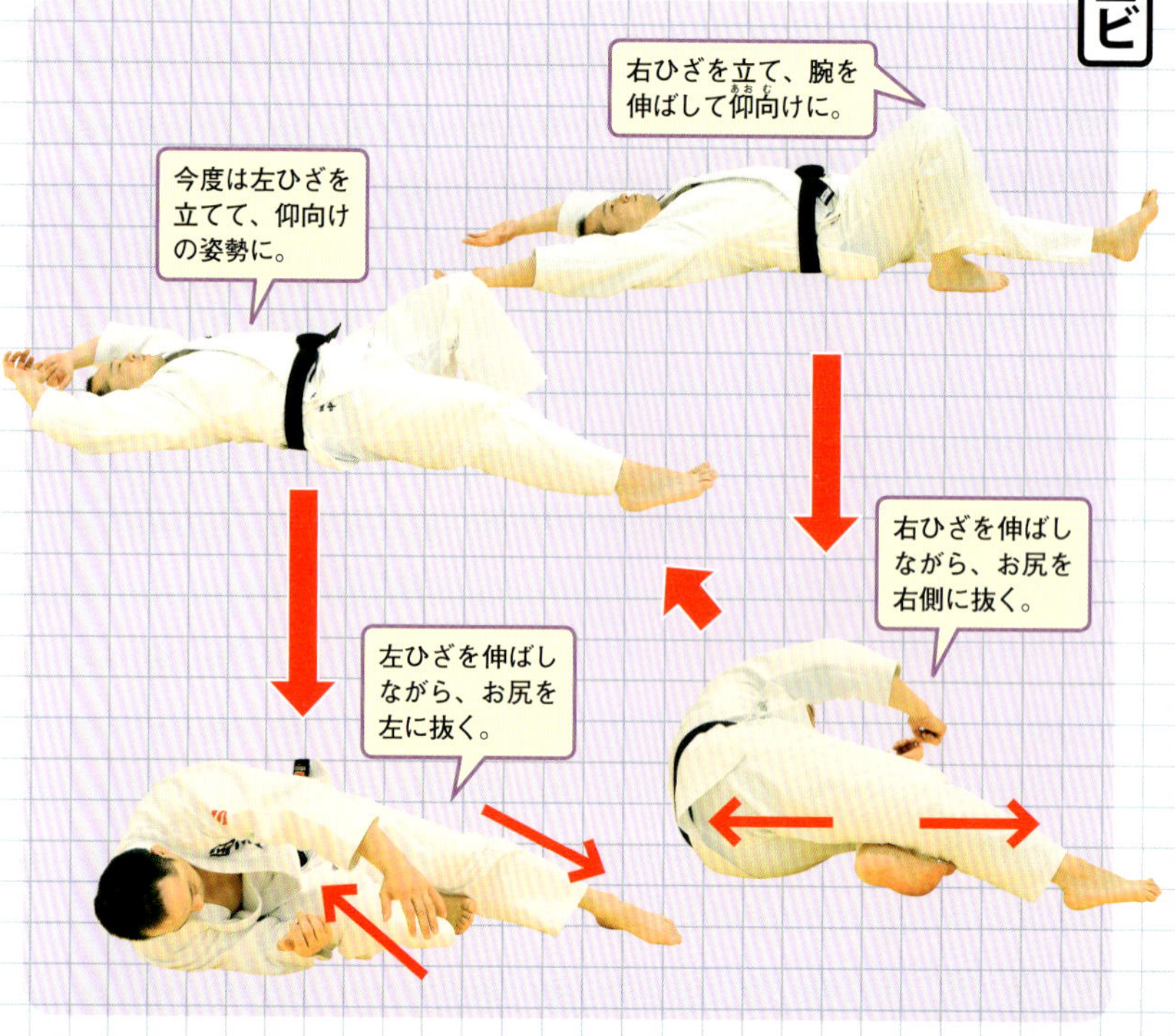
右ひざを立て、腕を伸ばして仰《あお》向《む》けに。
右ひざを伸ばしながら、お尻を右側に抜く。
今度は左ひざを立てて、仰向けの姿勢に。
左ひざを伸ばしながら、お尻を左に抜く。

逆エビ

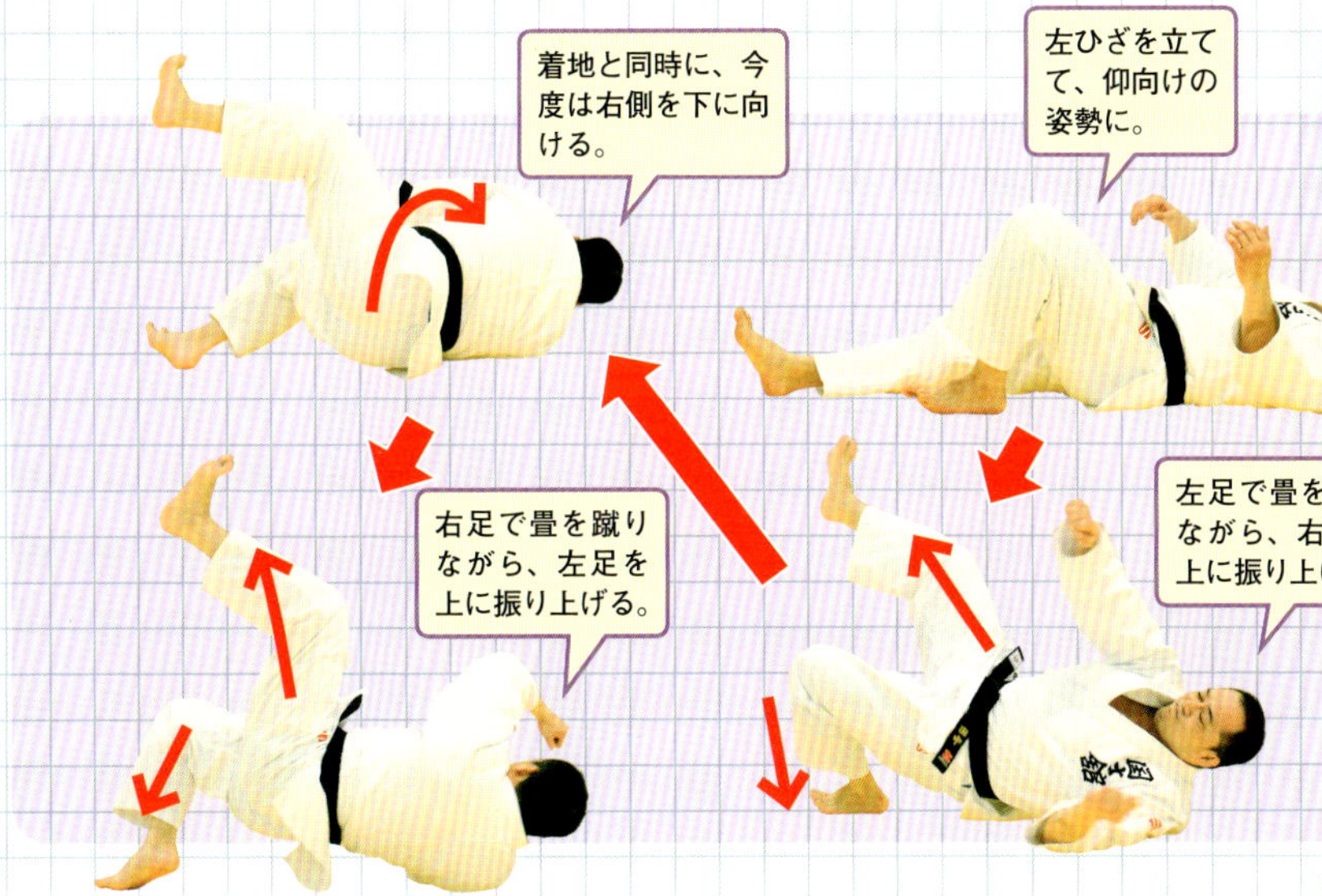
左ひざを立てて、仰向けの姿勢に。
左足で畳を蹴《け》りながら、右足を上に振り上げる。
着地と同時に、今度は右側を下に向ける。
右足で畳を蹴りながら、左足を上に振り上げる。

脚蹴り

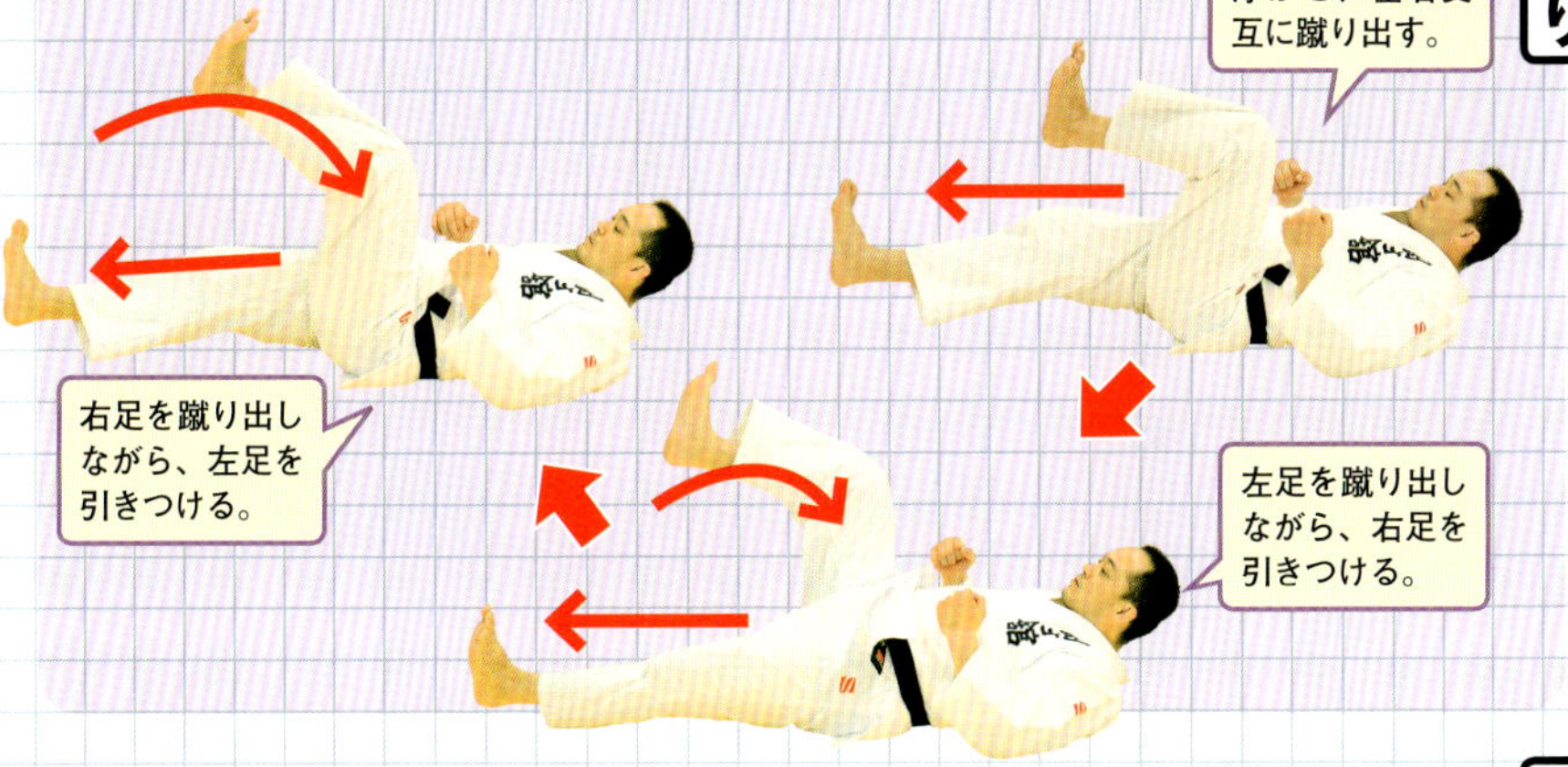
仰向けで両足を浮かせ、左右交互に蹴り出す。
左足を蹴り出しながら、右足を引きつける。
右足を蹴り出しながら、左足を引きつける。

脚回し

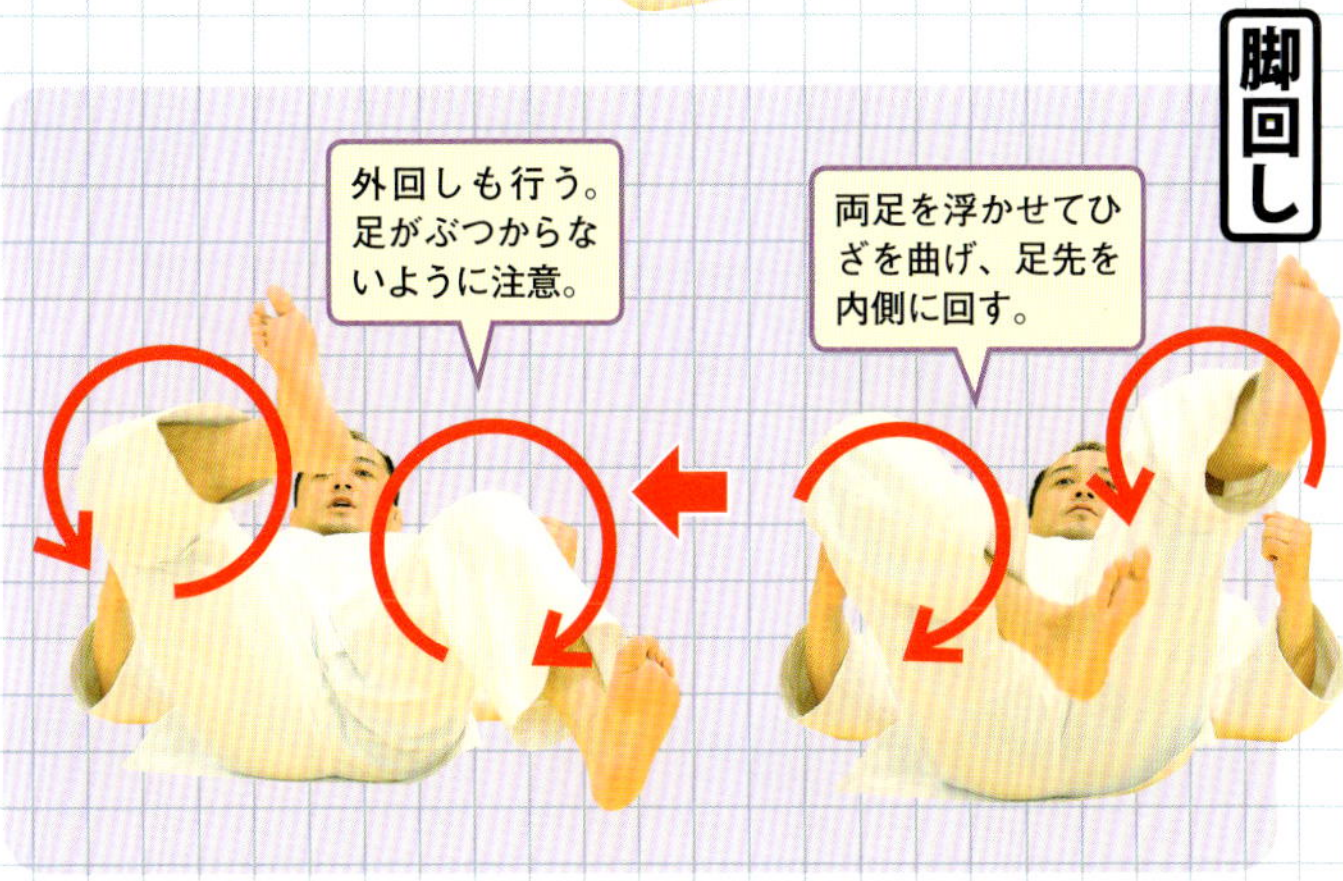
両足を浮かせてひざを曲げ、足先を内側に回す。
外回しも行う。足がぶつからないように注意。

これらの補助運動は、すべて反復して行いましょう！

固技《かためわざ》で人間《にんげん》一周《いっしゅう》!?

Lesson ここが大切!

相手《あいて》の動《うご》きに合《あ》わせて変化《へんか》!

固技の応用練習です。相手の動きに合わせて体勢を変化させ、様々な技に移行《いこう》します。固技で相手の体をぐるりと一周しましょう!

今回紹介するのは、ほんの一例。いろんな技で試しましょう!

POINT!

相手の動きに反応する!

基本的に相手の動作に反応し、体勢を変化させていきます。どの技で抑えるかは自由です。

スタート

1
まずは袈裟固からスタート。

2
相手が右手を抜こうとし、それを左手でいなす。

3
そのまま体を内側に反転させながら肩固に移《うつ》る。

4
右ひざを相手に密着させ、肩固で抑える。

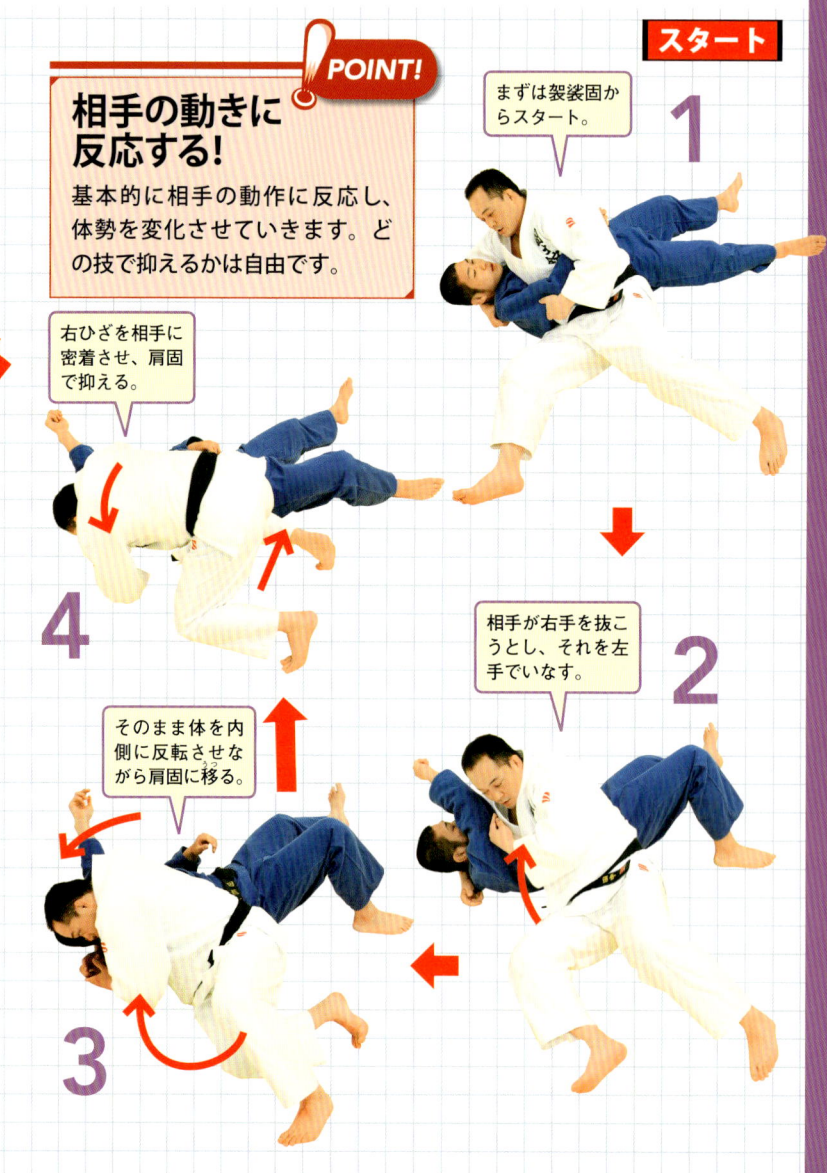

5
相手が逃げようとし、それを右足でまたぐ。
6
そのまま今度は、縦四方固で抑える。
7
さらに左足をまたいで反時計回りに回転。
8
すかさず横四方固に移《い》行《こう》する。
9
そこからさらに回転し、相手の頭側へ移動。
ゴール
10
最後に上四方固で抑え、人間一周のゴール。

STAGE 1

自《じ》分《ぶん》が上《うえ》から

Lesson
ここが大切!

局面別《きょくめんべつ》のゲームで固技《かためわざ》の攻防《こうぼう》を学《まな》ぶ!

実戦では、様々な体勢から固技の攻防をしなければなりません。そこで、固技の攻防を身につけるために、4つの局面に分けて、ポイントを解説します。まずは、自分が上になった局面。この場合の基本はひざをついて攻めますが、このとき、つま先を立てることが大切です。さらに、相手はひざを立てながら防御《ぼうぎょ》の体勢をとりますが、そのひざをさばいて、固技のチャンスをつくっていくのがポイント!

自分が上になったら、相手のひざをさばいて、体の上に乗っていきます!

攻めのポイント1

ひざをつく!

まずは、ひざをついて攻めていきます。このときの注意点は、動作が遅くならないこと。片ひざ立ち、もしくは両ひざ立ちになったとき、必ずつま先を立てておくことがポイントです。こうすることで、相手の動きに反応し素早く動くことができます。

攻めのポイント2

相手のひざをさばく!

自分が上になった場合、相手はひざを立てて防御の姿勢をとります。固技で抑えるには、まず、相手のひざをさばくことが必要です。両手で相手のひざを持ち、それを横に倒しながら踏み込んで相手の上体に移動。もしくは、いずれかの足で相手の片足を抑えつけて相手の上体に移動する方法などがあります。素早くひざをさばいて攻め入ることがポイント!

つま先を寝かせない! NG

つま先を寝かせた“ベタ足”でひざ立ちをすると、動作が遅くなり、素早く移動して攻めることができません!

不用意《ふようい》に腕を伸ばさない! NG

上からの攻めは、不用意に腕を伸ばすと、その腕をとられて相手に引き込まれてしまいます。引き込まれると、相手に形勢逆転のチャンスを与えてしまうことに!

相《あい》手《て》が上《うえ》から

Lesson ここが大切!

体全体《からだぜんたい》を畳《たたみ》につけず、足《あし》を自由自在《じゆうじざい》に操《あやつ》る

今度は逆に、自分が仰向《あおむ》けの状態で、相手が上から攻めてくる局面での攻防を解説します。この場合の基本は、まず体全体を畳につけないこと。体を丸めて畳との接点を少なくし、動作をスムーズにします。さらに、相手の腰に足を密着させ、相手の動きに素早く反応できるようにします。そこから、両手と両足を自在に操り、相手を引き込んでいきます。引き込みに成功したら、体勢を逆転させます。

下から対応する場合、相手を引き込んで体勢を逆転させることがポイントです！

攻めのポイント1

体全体を畳につけない!

体全体を畳につけてしまうと動作が遅くなります。体の自由がきくように、体を丸めて畳につく面積を小さくしましょう。

攻めのポイント2

相手の腰に足を密着!

下からの対応は、足を自由に動かすことが大切。両足を相手の腰に密着させ、相手の動きに反応する練習をしましょう!

攻めのポイント3

相手を引き込む!

足を使って相手の動きをコントロールしながら、スキを見て相手の襟《えり》などをつかみましょう。相手の襟をつかんだら、素早く相手を引き込んでいきます。体を起こしながらひじを曲げ、そこから体重を後ろにかけると、相手を引き込むことができます。両手両足を駆使《くし》しましょう!

CHECK!

相手を引き込んだら体勢を逆転させる!

相手を引き込むことができたら、体を反転させて体勢をひっくり返します。体勢を逆転させたら、相手の動きに応じた固技に入っていきます。

相手《あいて》がよつんばい

Lesson ここが大切！

常《つね》に体重《たいじゅう》をかけて相手《あいて》を逃《のが》さない！

次は、相手がよつんばいになった局面での攻防を解説します。この場合、よつんばいの相手は基本的に攻めることができず、防御《ぼうぎょ》が中心となります。しかし、ここで何もしなければ、相手は立ち上がってしまい、固技の攻防ができません。相手を逃がさないようにするためには、常に相手に体重をかけて、圧力を加えておくことが必要です。攻め込むときも、圧力を加え続けながら行いましょう！

よつんばいの相手を攻めるときは、相手の奥の腕を引っ張ってひっくり返します！

CHECK!

“人間あんば”って？

体重をかけながら自由に移動するための練習として、人間あんばを紹介します。よつんばいの相手に体重をかけたまま、クルクルと体を回転させます。自由に動き回れるようにしましょう！

攻めのポイント❶

常に体重をかける！

スキを見せると相手は立ち上がってしまうため、常に相手に体重をかけて動作を制限《せいげん》します。体重をかけた状態で体を自由に動かすこともポイントとなります。

右で紹介しているのが、よつんばいの相手をひっくり返す基本的な方法です。いろいろ方法はありますが、参考にして練習しましょう！

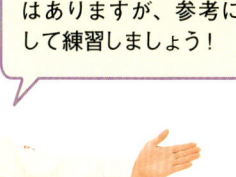

基本的な攻め方

1 相手の体の下から両手を回し、奥にある右手を両手でがっちりつかむ。

2 両手を自分の体に引きつけて、相手の体を引き込む。

3 体重をかけたまま、相手の体をひっくり返し、上から体をかぶせる。

STAGE 4

自分《じぶん》がよつんばい

Lesson ここが大切!

スキを与《あた》えず、防御《ぼうぎょ》することが重要《じゅうよう》

自分がよつんばいになった局面での攻防を解説します。

よつんばいは、基本的に防御の体勢です。そのため、まずは相手にスキを与えないようにすることが先決《せんけつ》。脇《わき》をあけたり、アゴを上げたりすると、相手にスキを与えてしまうので注意しましょう。また、ベストな対応は、機会をとらえて立ち上がるか、もしくは下から相手を引き込むこと。しっかり防御し、チャンスを逃さないことが大切です!

相手が不用意《ふようい》に腕を差し入れてきた場合などはチャンスです!

攻めのポイント1

相手にスキを与えない！

相手にスキを与えないことを優先します。脇をあけたりすると、そこから相手に体を開かれる危険があります。相手が攻め手を欠いたら、スキを見て立ち上がったほうがよいでしょう。

攻めのポイント2

相手を引き込む！

下から攻める機会は少ないですが、もし不用意に相手が腕を入れてきたら、その腕を脇に挟《はさ》んで引き込みましょう。相手の腕をがっちりロックし、体を回転させながら相手を引き込みます。

右で紹介しているのは、相手の腕を引き込んで体勢をひっくり返す方法です。相手をひっくり返したら、そのまま崩《くずれ》袈《け》裟《さ》固《がため》に入ります。

基本的な攻め方

1 相手が右手を不用意に右脇の下に差し入れる。その瞬間、その腕を右脇に挟む。

2 相手の右腕をがっちりロックし、そのまま引き込むように体を回転させる。

3 相手をひっくり返したら、相手の足側に体が向いているので、そのまま崩袈裟固に入る。

JUDO Column

Chikara Tanaka's Break Time

田中力の休み時間

強くなるために必要なことは何か？

私は国士舘《こくしかん》大学柔道部のコーチとして、多くの強豪《きょうごう》選手たちを見てきました。彼らのほとんどは、自分を主観的《しゅかんてき》・客観的《きゃくかんてき》にバランスよく自己分《じこぶん》析《せき》し、それに対する課題を見つけ、修正していく作業に優《すぐ》れていました。柔道で強くなっていくためには、必ず目標を設定することが必要となります。それも、最終的な目標となる長期目標から、それを達成するための通過点となる中期目標、さらに日々の課題となる短期の目標を立てながら、1年、2年、3年と着実にステップアップしていくのです。1日ずつの課題をクリアしながら、最終目標に到達《とうたつ》できるような目標設定が理想的です。とはいえ、そんな日々を過ごす強い選手たちも、たまには稽古《けいこ》が嫌《いや》になってしまうことがあります。そういうときは、なかなか自分ではわかりづらいのですが、客観的に自分を見つめ、できるだけ早く自分が何のために稽古をしているのかということに気づくことが大切です。

柔道というものは、日々の積み重ねです。稽古をいくら積んだとしても、成果《せいか》がすぐに出ないことがほとんどです。しかし、そこであきらめてはいけません。いつかは成果が出ることを信じ、それに向けて日々鍛錬《たんれん》することが強くなる秘訣《ひけつ》なのです。柔道は試合の勝ち負け以上に大切なことはたくさんありますが、勝敗も重要です。勝つことで得るもの、負けることで学ぶことが多々あり、このバランスが、自分を成長させます。勝敗の経験が柔道に取り組む姿勢を築《きず》いてくれるのです。

7
時間目

打込《うちこみ》＆乱取《らんどり》で技《わざ》を自分《じぶん》のものにする

動作は
大きく、正確に！

講師
谷本歩実
先生

DVD

7時間目

打込&乱取で技を自分のものにする

イントロダクション

打込《うちこみ》&乱取《らんどり》で技《わざ》をつくる!

Lesson ここが大切!

動作《どうさ》を確認《かくにん》し、正《ただ》しく実践《じっせん》する!

7時間目は、打込と乱取について解説します。打込と乱取というのは、これまでの章で覚えた技を実際に使えるようにするための練習です。正しい姿勢、大きな動作を意識し、相手をしっかり崩《くず》して技に入っているかを確認しながら行います。この章では、基本的な練習法や、いろいろなバリエーションも紹介します。ゲーム形式で楽しみながら、柔道の攻めと、守りの技術を身につけていきましょう!

打込で技をつくる!

乱取で技を練《ね》る!

打込＆乱取の2大ポイント

POINT 1 大きな崩し

打込や乱取を行う場合、相手をしっかり崩すことを意識します。大きく、正確な動作で行うよう心がけましょう！

POINT 2 正しい目線

目線は必ず投げる方向に向けます。細かい動作も丁寧に確認しながら、自分の技をつくっていきましょう！

打込で技に入るまでの正しい形を身につけ、乱取で実戦での技を磨《みが》いていきます！

打込 →P172

攻防ゲーム →P180

乱取 →P184

初歩《しょほ》の打込《うちこみ》で技《わざ》をつくる

STEP 1

基《き》本《ほん》の打込《うちこみ》

Lesson ここが大切!

投《な》げる直前《ちょくぜん》までの形《かたち》を反復《はんぷく》する!

打込は、投げる直前までの動作を反復し、正しい崩《くず》しや技への入り方を身につける練習です。まずは、基本的な打込から始めます。しっかり崩すことを意識しましょう!

打込は技をつくるために欠かせない練習。動作を確認しながら丁寧《ていねい》に行うこと!

背負投

1 右自然体で相四つに組む。下方に圧力を加えながら大きく勢いをつける。

2 右足を1歩踏み込んで、右足前回りさばきの体勢に入る。

大外刈

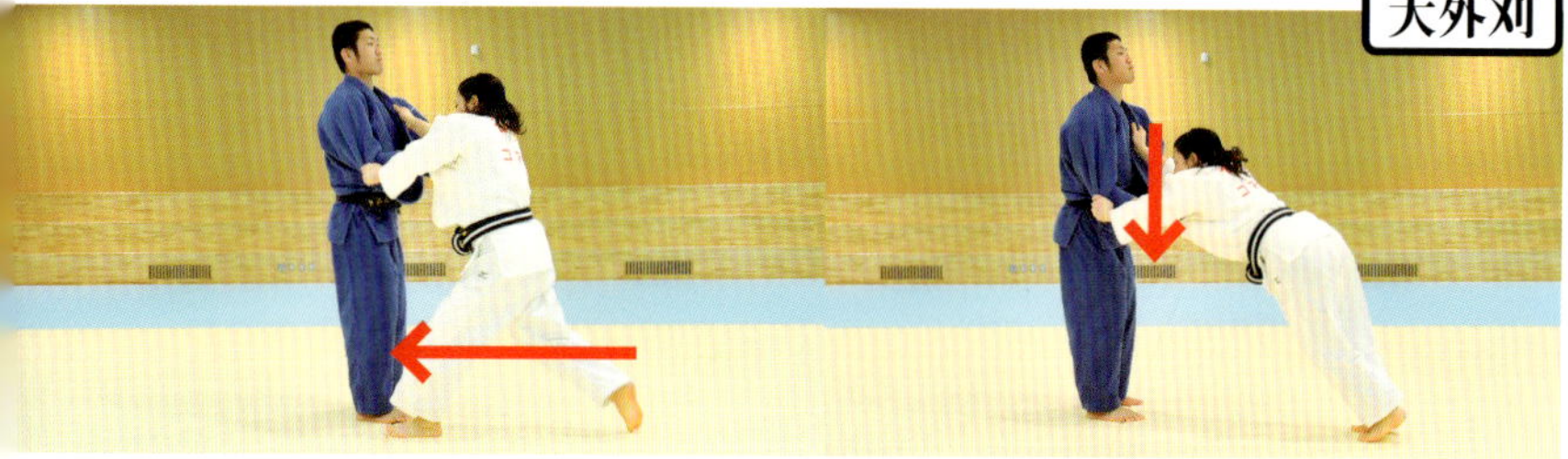

1 右自然体で相四つに組む。下方に圧力を加えながら大きく勢いをつける。

2 相手の右足の外側に、左足を大きく1歩踏み込んでいく。

大内刈

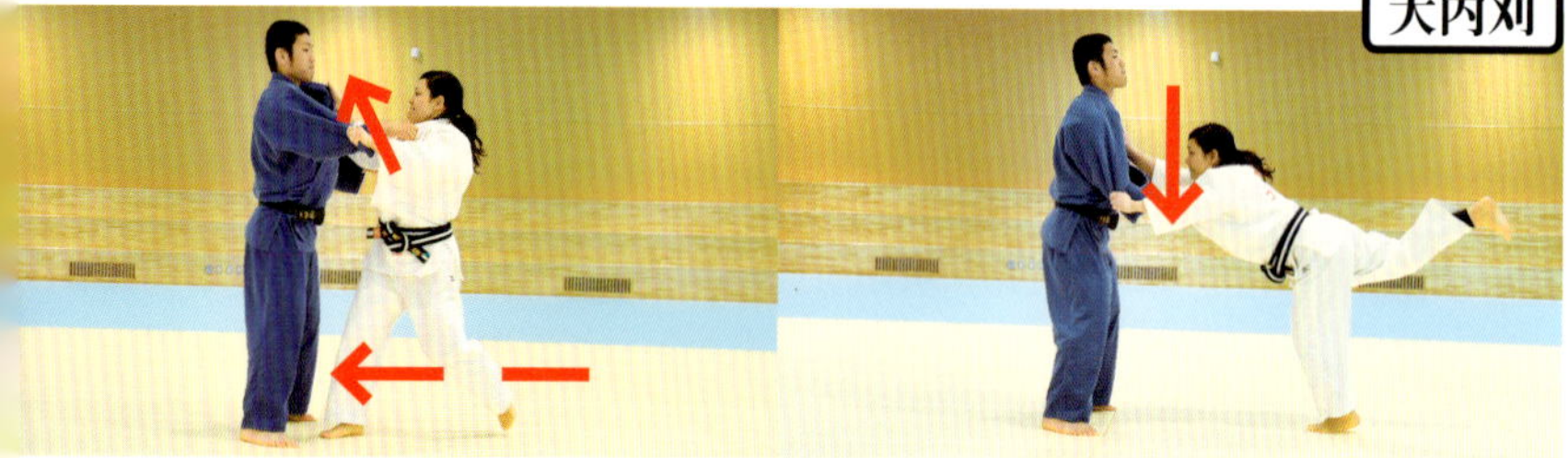

1 右自然体で相四つに組む。下方に圧力を加えながら大きく勢いをつける。

2 右足を1歩踏み込みながら、両手で相手を軽く釣り上げる。

POINT!

動作は大きく!

打込で陥《おちい》りやすい間違いは、打込を単なる準備運動だと勘違《かんちが》いしてしまうこと。この反復練習は、技に入るための動作を正しく身につけることが目的です。中途半端《ちゅうとはんぱ》な動作で、いい加減《かげん》に行ったりしては意味がありません。相手を崩すことを意識しながら、大きくて正確な動作を心がけましょう。

3 右足を軸に回転し、背負投の体勢に。しっかり相手を崩す。

4 相手を背中に正しく背負い、投げる直前までの動作を確認する。

5 再び、元の体勢に戻る。これら一連の動作を反復していく。

3 相手を崩しながら、つま先を伸ばし、右足を大きく振り上げる。

4 投げる直前までの動作を確認し、右足を振り下ろして元の位置に。

5 右足を大きく下げ、そこから再び、一連の動作を反復していく。

3 継足で左足を引きつけ、両手でハの字を描くように相手を下方に崩す。

4 右足を大きく下げ、そこから再び、一連の動作を反復していく。

打込は単なる準備運動ではありません。大きな動作でしっかり崩しましょう!

STEP 2

打込《うちこみ》のバリエーション①

Lesson ここが大切!

相手《あいて》を右自然体《みぎしぜんたい》から自然本体《しぜんほんたい》にする！

今度は少し実戦的な打込です。前ページでは自然本体で打込を行いましたが、これは自然本体が一番バランスを崩《くず》しやすく、技に入りやすいためです。しかし、実際は右組みであれば右自然体となり、真前《ままえ》に崩しても、相手は出ている右足で踏《ふ》ん張《ば》ることができます。打込でできても、実戦で投げられないのは、そのためです。そこで実際に、お互いが右自然体で組んだ状態からの打込を練習します。

右自然体の場合、相手は右足が出ている状態なので崩しにも踏ん張りが利《き》きます。

右自然体は踏ん張りが利く

自然本体に変化させる

そこで相手を崩すには、右自然体から自分に対して自然本体に変化させる必要があるんです！

押し込んでから入る

1 右自然体で相四つに組んだ状態。相手の右足が前に出ているため、崩しにくい。

2 そこで、相手を押し込んで相手の右足を下げさせ、自分に対して自然本体に変化させる。

3 相手が自然本体に。両手で釣り上げながら、相手を前に崩していく。

4 右自然体の場合、そのまま技に入るより、いったん変化させたほうが入りやすい。

POINT!

自然本体に変化させる!

右自然体の場合、相手を効果的に崩すため、相手を押し込んだり、斜《なな》めに移動したり、自分に対し右自然体から自然本体に変化させてから技に入ります。

技に入るための工夫が、より実戦に近い形の打込練習になるんです!

移動して斜めに入る

1 右自然体で相四つに組む。相手の右足が出ている状態。

2 右斜めに移動すると、角度の変化で相手が自分に対して自然本体に。

3 そこから両手で相手を釣り上げ、前方に崩していく。

STEP 2

打込《うちこみ》のバリエーション②

Lesson ここが大切!

様々《さまざま》な打込《うちこみ》で基本《きほん》の形《かたち》をマスター

様々な状況で行う打込に挑戦しましょう。交互《こうご》に1回交替で技を出し合う交互打込や、下がりながら相手を引き出したり、前進して相手を追い込む移動打込を解説します。

相手が出てくる瞬間や、体勢を戻す瞬間などが、技を仕掛けるチャンスです！

交互打込

1 まずは、右の相四つで組んで、どちらかが技を仕掛ける。

2 自分が大内刈を仕掛ける。打込なので、投げるまでは行わない。

3 技が終わって体勢を戻す。相手はその瞬間に技を狙う。

4 相手が動作の流れに沿って、釣込腰の崩しで釣り上げる。

5 技が終わって、再び体勢を戻す。今度は自分がその瞬間を狙う。

6 流れに沿って、自分が膝車を仕掛ける。交互に技を仕掛け続ける。

移動打込① 引き出し

1
継足《つぎあし》で下がりながら、両手で相手に圧力を加える。

2
両手で相手を釣り上げて、相手を前方に引き出す。

3
再び継足で下がりながら、相手に圧力を加える。

4
相手を前方に引き出す。一連の動作を反復する。

移動打込② 追い込み

1
相手に圧力を加えながら、歩足《あゆみあし》で前進して相手を押し込む。

2
大外刈の打込を仕掛ける。投げるまでは行わない。

3
再び、圧力を加えながら、相手を押し込んでいく。

4
さらに大外刈を仕掛ける。この一連の動作を反復していく。

STEP 2

打込《うちこみ》のバリエーション③

Lesson ここが大切!

形《かたち》をチェックし、自分《じぶん》の技《わざ》をつくる!

動きの中で技を仕掛ける感覚がつかめてきたら、今度は連続して技を出す連続掛《れんぞくがけ》を練習しましょう。技と技のつながりは関係なく、連続して様々な技を繰り出すことが大切です。さらに、基本の約束《やくそく》稽古《げいこ》として投込《なげこみ》を紹介。これは相手を実際に投げる練習です。受けは取りの動きに合わせてくれるため、100%の形で投げることができます。ここで技をチェックし、しっかりとした形を身につけます。

連続掛

1 右の相四つで組み、動きながら技のタイミングをとる。

2 まずは大外刈を仕掛ける。打込なので投げるまではいかない。

3 体勢を戻す。この戻り際の瞬間を狙い、すかさず次の技に。

4 今度は大内刈を仕掛ける。できるだけ違う技を仕掛けていく。

5 体勢を戻す。相手の反応を見ながら、適切な技を瞬時に選択する。

6 相手が前に出たところを背負投。連続して技を繰り出していく。

約束稽古で技をチェック!

投込は100%の形で投げて、フォロースルーまで、フォームをしっかり確認します!

投込《なげこみ》のポイント

1

技に入る直前も、相手にしっかり圧力を加える。

2

踏み込みの位置、相手との間合いなどもチェック。

3

相手をしっかり崩すことができているか確認。

4

投げる瞬間、ベストのイメージで投げる。

5

最後のフォロースルーまで正しい形を意識する。

乱取《らんどり》

柔道《じゅうどう》の攻防《こうぼう》ゲーム【立技《たちわざ》編《へん》】

Lesson ここが大切!

ゲーム感覚《かんかく》で柔道《じゅうどう》の攻防《こうぼう》を身《み》につける!

技を覚えても、相手との攻防の方法がわからないと乱取や試合ができません。そこで簡単なゲームで、柔道の戦い方を覚えていきましょう。まずは立技《たちわざ》から解説します。

まずは5～6名のグループをつくります。2名が対戦し、1名が審判役を務めます。

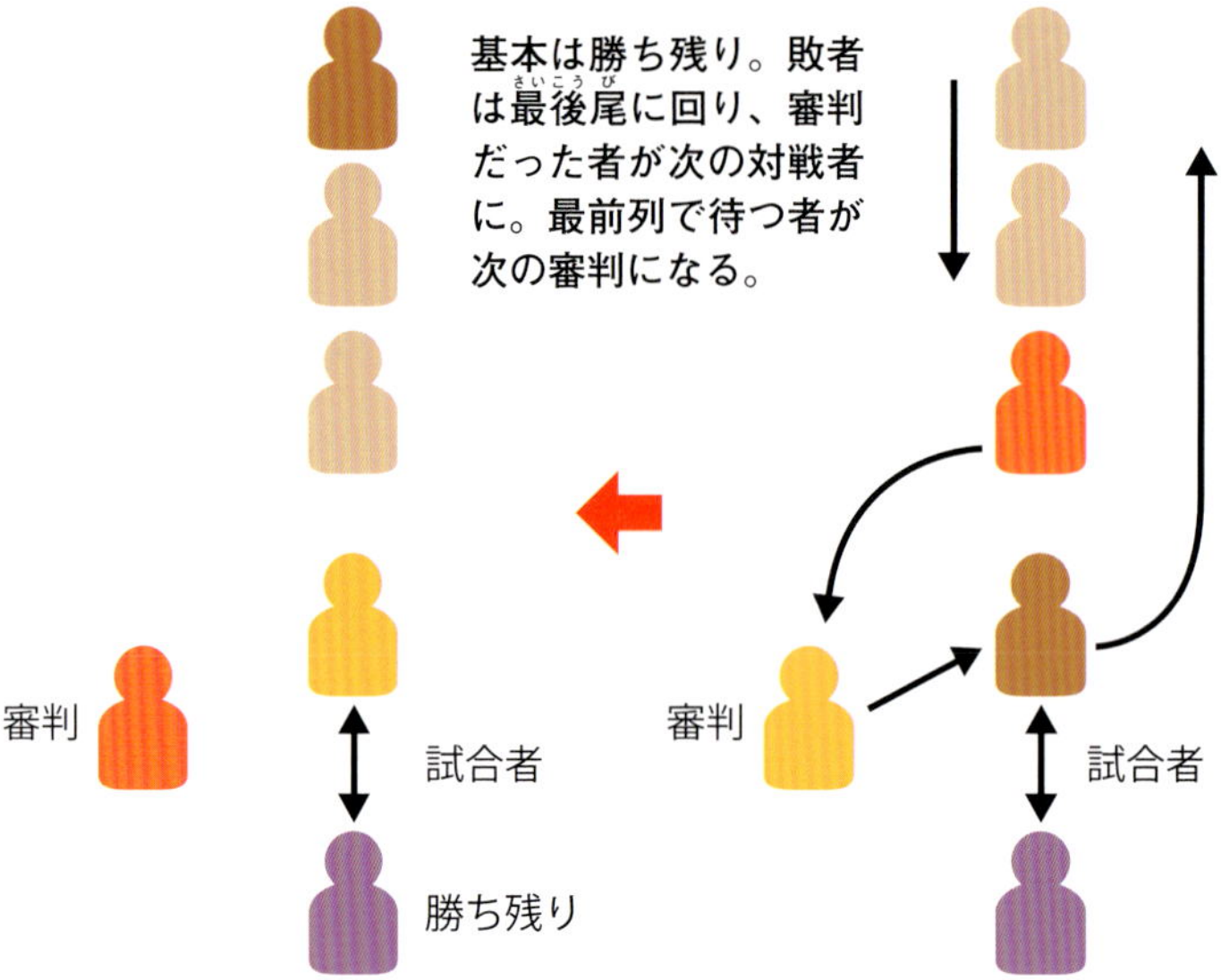
基本は勝ち残り。敗者は最後尾《さいこうび》に回り、審判だった者が次の対戦者に。最前列で待つ者が次の審判になる。
審判
試合者
勝ち残り
審判
試合者

ゲームの流れ

1 ゲーム・スタート！

まずは、２名の試合者が対戦します。１名が審判役を務め、残りのメンバーは待機となります。最前列で待っている人が次の審判役となり、審判役だった人が次の対戦者になります。試合者はお互いに立礼をしてから、審判の「始め」の号令によってゲームを開始します。柔道は礼儀が大切。必ず礼を行ってから試合を始めましょう！

2 技の掛け合い

ゲームが始まったら、お互いに技を繰り出します。このゲームでは実際に投げることはしません。技を掛けた時点で一本となります。ここで気をつけたいのは、消極的になってしまうこと。負けたくないばかりに、腰を引いて守りに入ってしまっては意味がありません。勝ち負けにこだわらず、お互いに積極的に技を仕掛けていきましょう！

3 2回先取で勝ち

どちらかの技が掛かったら、審判は「１回」と宣言し、試合者を開始位置に戻します。「始め」の号令で試合が再開。ゲームは２回先取で勝利なので、どちらかが２回目の技に成功したら、審判は「２回」と宣言し、試合者を開始位置に。勝ったほうの手を上げ、「勝ち」を宣言します。試合者は互いに礼をし、勝者が残って次の対戦に入ります。

Lesson
ここが大切!

面白《おもしろ》いルールで盛《も》り上《あ》がるゲーム!

次に、固技の攻防を身につけるためのゲームを解説します。立技編と同様に5～6名のグループになり、勝ち残りのローテーションでゲームを展開していきます。1回の試合時間は自由に設定してもよいですが、今回は20秒に設定します。試合者は審判の合図で固技の攻防に入ります。抑え込んで3秒経過したら勝利。また、試合時間が終わった時点で上にいるほうが勝者となり、次の対戦に入ります。

ゲームの流れ

1 ゲーム・スタート!

審判の合図で開始しますが、スタートの体勢は２通りあります。ひとつが、背中合わせに長座《ちょうざ》をし、互いに右手を上げた体勢。もうひとつが、互いに逆方向に頭を向けて寝た状態で、腕を組むという体勢です。そこから起き上がり、反時計回りに回りながら相手に組みつきます。

背中合わせで長座。互いに右手を上げる。

反時計回りに動いて相手に組みつく。

頭を逆方向にして仰向け。互いに腕を組む。

反時計回りに動いて相手に組みつく。

2 上になって3秒経過で勝ち

ゲームがスタートしたら、お互いに固技を狙って組みつきます。このとき、消極的にならず、どんどん攻め込むことがポイント。また、スピーディな動作で相手の動きに素早く対応し、できるだけ早く相手の上に乗ることを目指します。相手の攻めをくぐり抜け、抑え込みに入ったら審判が「抑え込み」を宣言。3秒経過で勝利になります。

3 20秒の時点で上にいる者が勝ち

スタートと同時に、審判は「イチ、ニ、サン……」と経過時間をカウントしていきます。試合時間は20秒設定ですから、20までカウントしても勝負がつかなかった場合は、その時点で上になっているほうが勝者となります。つまり、常に上になっているほうが有利ということです。審判は勝者決定と同時に、勝者の背中をたたいて勝利を伝えます。

4 審判がすかさず飛びかかる!

立技編では、試合を止めてから次の対戦に入りましたが、固技の場合は試合を止めません。勝ち残りルールなので、審判は勝者の背中をたたいた直後、次の相手としてすかさず勝者に飛びかかります。次の対戦者が上から組みついてくるため、残った勝者は必然的に不利な状況になります。そこから逆転するのも技術上達のポイントなのです。

乱取《らんどり》

乱取《らんどり》のポイント

Lesson
ここが大切!

投《な》げるも受《う》けるも積極的《せっきょくてき》に行《おこな》うこと!

ゲーム形式で柔道の攻防を体感したら、今度は実際に相手と投げ合う乱取に挑戦しましょう。乱取は実戦さながらに攻防を展開する稽《けい》古《こ》ですが、実際の試合ではないので、勝ち負けにこだわる必要はありません。一番大切なのは積極的に技を掛けること。そして、相手のよい技がきたら進んで受けることです。防《ぼう》御《ぎょ》ばかりでは意味がありません。積極的な乱取で、実戦での技を磨《みが》いていきましょう!

安全に行うため、技を掛けたときは絶対に体勢を崩さない、そして引手を離さないようにしましょう！

POINT!

受身は積極的に！

右の写真は、投げられないようにするため、無理な体勢から畳に手をついている様子です。これはケガの危険性が高いため、絶対に行ってはいけません。むしろ、相手のよい技がきたら、積極的に投げられるようにしましょう。そのほうが受身が安全にとれ、しかも相手の技の上達にも役立つからです。

POINT!

防御ばかりはNG！

乱取は勝敗を競《きそ》うものでなく、技を磨くための稽古です。投げられたくないからといって、腰を引いた防御の体勢をとっては、稽古になりません。乱取は技をたくさん掛けることで、実戦で技に入るタイミングや、形、感覚が養《やしな》われます。投げられてもよいという気持ちで積極的に行いましょう！

CHECK!

必ず礼をすること！

柔道は、ひとりでは上達できません。稽古相手は自分を成長させてくれる存在。感謝の気持ちで礼を行いましょう！

POINT!

しっかり組む！

柔道の技は、相手と組み合うことから始まります。まずはしっかり組んで、一本をとれるように技を掛けましょう！

JUDO Column

Ayumi Tanimoto's Break Time

谷本歩実の休み時間

これこそが柔道！ 一本にこだわる理由

私の好きな言葉に、〝一本柔道〟というものがあります。私は技術だけでなく、常日頃から一本をとりにいく心を持つことが柔道では大切なことだと考えています。中学生のときに、私は〝柔道とはなんだろう？〟と疑問に思った時期があって、そのときに果敢《かかん》に一本をとりにいく子どもたちを見て、〝これこそが柔道だ〟と感じたんです。それが、私が〝一本柔道〟にこだわるようになったきっかけです。一本柔道を目指すということは、技術の面でも、体力や精神的な面でも、稽古《けいこ》を積み重ねて強くならなければいけません。それが私にとってやりがいでもあったんです。

幸いにもアテネ五輪と北京五輪の2大会連続でオール一本勝ちという結果を残すことができましたが、一本は狙ってとれるような簡単なものではありません。でも、それだけの稽古を積みましたし、技術も毎日反復しながら、人の何倍も頑張っているという強い気持ちはありました。私が一本柔道を貫《つらぬ》いてきた理由として、これから柔道を始める子どもたちに一本柔道を伝えたいという思いがあったので、それを伝えることができたと思うと、自信もつきましたし、うれしくもありました。

毎日の稽古で一本をとりにいくという心があるからこそ、それが達成されたときに、結果として一本柔道になるんだと思います。ですから、五輪での一本はすべて、たまたまとれた一本ではないと自分では思っています。私の柔道への思いを具現化《ぐげんか》したものが、一本柔道なんです。

課外授業 女子のための柔道講座

女子柔道のポイントを谷本先生をモデルに解説します！

講座1 女子の着装《ちゃくそう》

女子の着装は、基本的に男子と同じです（P16）。上衣《うわぎ》を初めて着るとき、ブラウスなどと同じように右側を前にして合わせてしまう人がいますが、これは間違いです。男子と同様に左を前にして着用します。また、女子の場合は必ず上衣の下に白のTシャツ（無地、もしくはワンポイント）を着用することが義務づけられています。さらに、髪を長く伸ばしている場合は、安全の確保《かくほ》という意味でも、ゴムなどでひとつにまとめておくことが大切です。常に正しい着装を心がけましょう。

着装は基本的に男子と同じ。ただし、上衣の下に白のTシャツを着る。
女子の正しい着装

長い髪は、引っかかると危険。ゴムなどを使ってひとつにまとめる。

女子を指導していて困ってしまうのが、Tシャツを忘れてしまう人。公式のルールでもあるので必ず着用しましょう！

講座2

体の特徴《とくちょう》

女子の特徴のひとつとして挙《あ》げられるのが体の柔軟性《じゅうなんせい》。体が柔らかいことは、ケガをしにくいというよい面があるのですが、逆にそのせいでケガをしてしまうケースもあります。女子は、とくに関節が柔らかいため、通常なら投げられないというような無理な体勢でも投げてしまう場合が見られます。下の写真のように、逆関節《ぎゃくかんせつ》（腕が外側にしなる）になっている状態で技に入ると、大ケガの可能性が高くなります。手や足が届くからといって、無理な体勢から強引に技に入るのはとても危険なことなのです。基本の形を意識し、正しい体の使い方を心がけることが、女子柔道の注意すべきポイントです。

下の写真は、本来は釣手（右手）を立てます。強引に投げようとするあまり、逆関節になっていて危険ですね。

NG
無理な姿勢で強引に投げようとするとケガの恐れも。

女子柔道ならではの大外刈

1
通常の大外刈と同様に、左足を相手の右足の外側に踏み込む。

2
相手をしっかり崩し、右足を大きく振り上げる。

3
右足で相手の右足を刈りながら、相手を押し倒す。

4
後方に右足を振り上げずに、足をかけて押し倒す感覚になる。

講座3 変則的《へんそくてき》な技

女子の特徴として、体の力が男子よりも弱いことも挙げられます。とくに体の力を必要とする、大外刈《おおそとがり》や払腰《はらいごし》のような片足《かたあし》支《し》持《じ》（片足で立って投げる）の投技は、力の弱さを考慮《こうりょ》した変則的な形になります。たとえば、大外刈の場合、通常は片足で最後まで刈りきりますが、女子の場合は右足を引っかけて相手を押し倒す形になります。体の特性から技を変化させるのです。

体の特徴を十分に理解し、女子ならではの柔道を身につけることも大切なのです！

素朴《そぼく》な疑問《ぎもん》に答える！

柔道Q&A

Q 柔道はどうやって生まれたの？

A

柔道は、明治15年（1882年）、嘉納治五郎《かのうじごろう》師《し》範《はん》がいくつかの柔術の技から、危険な技を取り除《のぞ》いて技術を集大成《しゅうたいせい》し、あわせて人間形成を目的とするものとして創始《そうし》されました。柔術の「柔《じゅう》よく剛《ごう》を制《せい》す」という理論から「心身の力を最も有効に使用する」原理へと発展させ、新しい時代にふさわしい技術と理論を組み立てたのです。

嘉納師範はこの原理を「精《せい》力善用《りょくぜんよう》」という標語《ひょうご》で示《しめ》し、社会生活すべてにおいても欠くことのできない重要な原理であることを明らかにしました。そして、この原理を実生活に生かすことによって、人間と社会の発展に貢献《こうけん》すること、すなわち「自他共栄《じたきょうえい》」をその修行目的としなければならないと教えました。この原理と目的により自己完成を目指す「道《みち》」であるとして、柔術から柔道へと名をあらため、その道を講《こう》ずるところという意味で名づけられたのが「講道館《こうどうかん》」という名でした。

Q 柔道の目的ってなんなのだろう？

A

講道館の道場には、柔道修行の目的として『柔道は心身の力を最も有効に使用する道である。その修行は、攻撃防御《ぼうぎょ》の練習によって身体精神を鍛錬修養《たんれんしゅうよう》し、斯道《しどう》の真《しん》髄《ずい》を体得《たいとく》することである。そうして、これによって己を完成し、世を補益《ほえき》するのが柔道修行の究竟《きゅうきょう》の目的である』と掲《かか》げられています。つまり、柔道とは単に強くなるだけでなく、攻撃・防御の練習によって心身を鍛《きた》え、社会に貢献できる人間を育成することが目的なのです。強さやうまさだけでなく、自分自身を高めて学び続けることが大切です。

Q 礼儀作法ってなんで大切なの？

A

柔道では相手を投げたり、投げられたりすることから、他人の痛みや思いを感じることができます。また、勝敗に関わらず、相手を尊重《そんちょう》して礼儀作法を行うことから「公正な態度や正義」が育ち、さらには互いに相手を思いやる「他者理解《たしゃりかい》・感謝《かんしゃ》」という相互《そうご》理解の心も育ちます。つまり、柔道は競技の優《ゆう》劣《れつ》だけが大切なのではなく、人格的な納得や理解といった相互の人間関係を感じることが重視されます。そして、技を練習するときは、必ず相手と協力して技をつくり上げていくため、常に相手に対して敬意《けいい》と感謝の意味を込めて、動作の最初と最後に礼をするのです。

Q 投げられるのは痛くないの？

A 受身《うけみ》をマスターしたからといって、まったく痛くなくなるということはありません。しかし、受身をマスターすれば、頭部を打たなくなり、安全を確保《かくほ》できるようになります。受身とは、投げられたときの畳からの衝撃《しょうげき》を最小限に抑え、自分の身を守るための技術です。ですから、完全に衝撃がゼロにはなりませんが、投げられたときに手や足を使うことで、衝撃力を減らすことができます。むしろ、投げられるのを怖《こわ》がって中途半端な受身をとると痛くなります。受身は積極的に！

Q 力が強くないと勝てないの？

A 力は弱いよりも強いほうがよいですが、力だけでは勝てません。柔道では技術と力が結びついてこそ競技力が高まります。柔道の技は基本的に「テコの原理」を応用しています。ですから、小さな力でも相手を投げることができます。反対にいくら力が強くても技術がないと相手を投げることができません。つまり、力をうまく活用する技術を身につけなければなりません。そのためには、動作の正確性が求められます。また、技術を最大限に活かす力を高めることも重要です。

Q 強くなるためにはどうすればいい？

A まず基本をしっかりと身につけることです。とくに受身は、安全・安心に柔道を行うために絶対必要です。そして姿勢や組み方なども正しく覚えましょう。そのうえで、様々な技を覚えて、その中で自分の得意技をつくっていきましょう。そのためには打込《うちこみ》を数多く行います。打込でしっかりとした技をつくっていかないと、乱取《らんどり》や試合で何もできなくなってしまいます。打込も、移動、組手の変化といった様々なパターンからの稽古《けいこ》を数多く行うことが重要です。

著者紹介

木村 昌彦（きむら まさひこ）
1958年８月26日、山形県生まれ。横浜国立大学教育人間科学部教授。現在、全日本柔道連盟国際強化マネジメントコーチ、広報委員会副委員長、安全対策プロジェクト委員などを務める。2005年＆2010年に文部科学省スポーツ功労者顕彰を受賞。

斉藤 仁（さいとう ひとし）
1961年１月２日、青森県生まれ。1984年ロス五輪、1988年ソウル五輪で２大会連続の金メダル獲得。2004年アテネ五輪、2008年北京五輪で全日本男子監督を務める。現・国士舘大学体育学部教授、同学・男子柔道部副部長。全日本柔道連盟強化副委員長。

篠原 信一（しのはら しんいち）
1973年１月23日、青森県生まれ。天理大学体育学部准教授、同学・柔道部男子監督。1998年～2000年の全日本柔道選手権大会で３連覇。2000年シドニー五輪で銀メダルを獲得。2012年ロンドン五輪の全日本柔道男子監督を務めるなど、トップクラスの指導者として活躍している。

田中 力（たなか ちから）
1975年８月１日、佐賀県生まれ。1998年に国士舘大学体育学部を卒業後、同学・男子柔道部のコーチを務める。また、2011年に横浜国立大学大学院を卒業し、現在は国士舘大学女子柔道部監督代行として、後進の指導に当たっている。

鈴木 桂治（すずき けいじ）
1980年６月３日、茨城県生まれ。国士舘大学体育学部専任講師、同学・柔道部男子コーチ。2004年アテネ五輪で金メダルを獲得したほか、全日本選手権大会優勝４回、世界柔道選手権大会優勝２回を誇る。日本を代表する柔道家として活躍中。

内柴 正人（うちしば まさと）
1978年６月17日、熊本県生まれ。九州看護福祉大学客員教授、同学・柔道部女子コーチ。2004年アテネ五輪、2008年北京五輪で連覇を達成したほか、2005年の世界柔道選手権大会で銀メダルを獲得。2010年に現役引退を表明し、後進の指導に当たる。

谷本 歩実（たにもと あゆみ）
1981年８月４日、愛知県生まれ。現・コマツ柔道部コーチ。2004年アテネ五輪と、2008年北京五輪において２大会連続オール一本勝ちでの優勝という前人未到の偉業を達成。2010年に現役を引退し、現在はコーチとして後進の育成を図る。

いちばんわかりやすい！
柔道の教科書

著　者　木村昌彦／斉藤仁／篠原信一／田中力／鈴木桂治／谷本歩実
発行者　櫻井英一
印刷・製本　日経印刷株式会社

発行所　株式会社 滋慶出版／つちや書店
〒100-0014 東京都千代田区永田町 2-4-11
TEL.03-6205-7865　FAX.03-3593-2088
http://tuchiyago.co.jp　E-mail：shop@tuchiyago.co.jp